KB076737

지구로부터의 탈출 2

지구로부터의 탈출 2

지은이 승재우

발 행 2024년 06월 26일
펴낸이 한건희
펴낸곳 주식회사 부크크
출판사등록 2014.07.15.(제2014-16호)
주 소 서울특별시 금천구 가산디지털1로 119 SK트윈타워 A동 305호
전 화 1670-8316
이메일 info@bookk.co.kr

ISBN 979-11-410-9128-6

www.bookk.co.kr

지구로부터의 탈출 2

BOOKK

차례

개척자

완전한 어두움 속에서 붉은빛과 파란빛, 초록빛 등 무지개를 연상시키는 여러 희미한 색들이 각각 분리된 상태로 서로 어우러지며 공간 전체에 고르게 퍼져있다. 그렇다고 해서 그 색들이 이곳을 밝게 빛내주고 있다고는 할 수 없다. 그저 사방으로 퍼져있는 검은색을 여러 가지 색으로 조금 희석해주는 것에 지나지 않는다.

'위잉'하는, 음침하고 서늘하며, 변화가 없고, 일정하며 지속적인 소리가 이 어둠 그리고 희미한 여러 색과 함께 공간을 지배하고 있다. 그것은 바람 소리 같은 것은 아니고, 그 근원이 무엇인지는 알 수 없다.

특정하기 어려운 기분 나쁜 소리가 가득 채워져 있는 이곳에서 그것들만의 나름 평화로움을 깨트리는 다른 소리가 순간 들렸다.

스읔, 부스럭.

어둠 속에서 무언가가 움직이기 시작했다. 그 정체는 실오라기 하나 걸치지 않은 상태로, 바닥에 등을 대고 반듯하게 누워있는 남자이다. 바닥은 마치 한겨울의 그것처럼 차갑고, 공기 역시도 그렇다.

부스럭.

잔잔한 웅덩이에 돌이 던져진 것처럼, 고요하던 이곳이 한 남자로 인해 흐트러지고 있다. 남자는 발가락을 몇 번 움찔거리더니 다음으로는 발목을 움직였고, 그 후에는 무릎을 움직였다. 하지만 그 움직임은 매우 미세하여 가까이서 보지 않는다면 알아채기 쉽지 않을 정도였다.

발끝부터 머리까지 순차적으로 관절과 근육의 미세한 움직임을 보이던 남자는, 갑자기 왼쪽 손바닥을 허공에 들어 올리고는 바닥을 세게 짚었다. 굳이 저렇게까지 할 필요가 있을까 싶을 정도로 힘껏 바닥을 짚은 탓에 분명 통증이 있을 것 같았지만, 남자의 표정은 전혀 그렇지 않았다. 그의 움직임과 표정은 마치 인간의 형태를 한 기계 같다.

누워있던 남자는 몸을 왼쪽으로 틀어 자신의 팔에 힘을 주며 상체를 일으켰다. 하지만, 그렇게 애를 쓴 것이 무안할 정도로 고꾸라져 다시 바닥에 등을 댔다.

그렇게 자신의 몸을 움직이는 것이 매우 힘겨운 듯 잠시 바닥에 누워 미동도 없던 남자는 다시 자신의 팔에 힘을 주어 상체를 세웠고, 다시 쓰러져 눕지 않기 위해 바닥을 짚고 있던 손과 팔에 잔뜩 힘을 주었다. 하지만 다시 쓰러졌다.

그가 바닥에 대고 있는 피부 부위로는 한기가 잔뜩 스며드는 중이다. 하지만 그런데도, 그는 그것을 감지하지 못하는지 그저 무표정상태이다. 그의 얼굴은 마치, 원래 표정을 짓지 못하는 것처럼 눈과 뺨, 입술, 이마 등이 한가지 모양새로 고정되어 있다.

그리고 그는 처음으로 몸의 움직임만이 아닌, 입을 통한 소리를 내기 시작했다.

"으아…. 무아모어…."

그것은 언어가 아닌, 그저 잡음, 의미 없는 소리이다.

한참의 시간이 지났다. 드디어 남자는 두 다리에 힘을 주어 천천히 일어섰다. 그의 다리는 심하게 떨렸지만, 두 다리로 바닥을 지탱하여 서는 데 성공했다. 누운 상태에서 몸을 일으키고, 다리로 일어서는 행동을 하기까지 아주 오랜 시간 걸렸다.

그러나, 직립한 그는 금세 몸을 흔들거리며 넘어져 바닥으로 다시 고꾸라졌다. 그것은 마치 어린아이가 처음으로 자신의 두 발로 바닥을 딛고 서려는 모습에 비유할만하다. 그리고 수차례 넘어지면서도 그것을 해내기 위해 무의식적으로 반복한다는 것도 그러하다.

여러 번의 시도와 시간이 더 흐른 끝에, 그는 차가운 바닥을 디딘 두 발과 다리로 자신을 몸을 지탱하고 완전히 서 유지하는 데 성공했다. 그 자신도 왜 이렇게 애써 서서 움직이려 하는지 알 수 없을 것이다. 그래야 한다는 무의식적 본능이 발현된 것이라고 봐야 한다. 현재의 그에게는 스스로 만들어내는 의지와 의식은 없다. 그저 본능의 신호로 육체를 움직이고 있는 것이다.

어쨌든 그는 단순한 한 가지 행위를 하기 위해 아주 오랜 시간이 걸렸다. 그러나, 인간의 모습을 뽐내며 직립을 했지만, 그다음 단계로 바로 가지 못했다. 그는 이제 걷기 위해 애를 써야 한다.

그렇게 다시 오랜 시간이 지나서야 이전처럼 몸을 움직일 수 있게 된 창우에게 서서히 정신이 깃들기 시작했다. 자아를 찾은 것이다.

'아…. 몸이 제대로 움직이지 않는군. 그런데, 이 이상한 느낌은 뭐지?'

창우는 처음 보는 무언가를 만져보듯 자신의 벌거벗은 몸을 신중한 손길로 여기저기 더듬었다.

'그나저나…. 무사히 온 건가? 여기가 새로운 땅인가? 내가…. 정말로 다른 우주라는 곳에 와 있는 건가? 그렇다면, 이 우주에 생명체는 오로지 나 혼자뿐이라는 것이지? 우와…. 정말로 이런 게 가능하다니. 이거 정말.'

창우는 다른 우주로 왔다는 사실을 절실히 깨닫고는 반복해서 감탄사를 내뱉었다. 일반적으로는 그러한 사실에 무섭거나 두려울 만도 하겠지만, 그는 역시 그런 점에서는 평범하지 않다.

그는 이제 관절과 근육을 움직이는 데는 문제가 없기에, 자신의 오른팔을 힘껏 앞으로 뻗어보았다. 그리고 그 움직임에 꽤 놀란 듯 눈을 크게 떴다.

'이거 뭐야. 분명히 몸이 무거운 느낌인데, 움직임이 왜 이렇게 빨라지지?'

이번에는 무릎을 굽힌 후 힘껏 공중으로 뛰어올랐다. 그러자 그는 약 5m 정도 지면에서 벗어났고, 너무 놀란 나머지 몸을 허둥대다가 다시 바닥으로 떨어졌는데, 그의 예상보다는 통증이 훨씬 적었다.

'몸은 무거운 느낌인데, 실제 움직임은 너무 가벼워졌잖아. 내가 힘이 세진 건가? 아니면…. 아, 그런데 숨을 쉬기가 쉽지 않아.'

이곳에 인간의 생명을 유지할 수 있는 최소한의 환경은 조정되었지만, 이전처럼 완전한 상태는 아니기에 여러모로 불편한 증상과 어색한 현상이 나타났다.

뿌연 안개 같았던 두뇌 활동의 장막이 완전히 걷히며, '지구인' 신분이었을 때 도진이 당부한 어떤 말이 떠올랐다.

'어서 그것을 찾아야 해.'

그렇게 창우는 무언가를 찾아 헤매기 시작했다.

'너무 추워. 차갑다. 바닥은 얼음인가? 어두워서 제대로 보이지 않네. 그런데, 그것은 어디에 있지?'

그는 이제야 몸의 감각을 되찾아 추위를 느꼈다. 그리고 물이 얼음으로 변할만한 기온을 맨몸으로 버티며 움직이기 시작했다.

'불빛이라고 할 만한 것이 없으니 근처의 물체나 사물을 분간하기가 어려워. 이 어른거리는 무지개는 뭐지? 광원에서 반사되어 나타나는 빛은 아닌 듯한데. 그리고 이 냄새는….'

창우는 고개를 들어 위를 보았다. 거기에는 아무것도 없다. 그저 이 공간에 전체적으로 퍼져있는 여러 가지 색의 띠가 하늘거리며 그의 진로에 약간의 도움을 주고만 있다. 그리고 형용할 수 없는 어떤 냄새가 은은하게 퍼져있는데, 마치 공업용 화학약품 같기도 하고 어떤 약초를 달인 후 나는 것과 같은 냄새이다.

그는 주변을 두리번거리며 앞을 향해 천천히 걸었다.

'높이가 500미터쯤 되는 정사각형 형태의 건물을 찾으라고 했는데…. 도대체 그런 건물이 어디에 있다는 것이지? 500미터라면 쉽게 보일 텐데.'

이곳은 마치 곧고 편평하게 얼어있는 바닥을 가진 드넓은 사막 같다. 하지만 가시거리가 겨우 10미터쯤 되는 끝없이 펼쳐진 평원에서 무언가를 찾는다는 것은 결코 쉬운 일이 아니다. 500m 높이의 건물이라고 해도 그렇다.

'그나저나…. 이 황량하고 척박한 땅에서 살아가는 것은 아니겠지? 아무리 둘러봐도 식량으로 삼을만한 것이나 옷을 만들만한 재료는 없는 것 같군. 설마 도진 그 녀석이 이런 식으로 생존 환경을 설계하지는 않았을 거야. 내가 가야 할 그곳에 뭔가가 있겠지. 일단 어서 가보자.'

현재 이곳에서 그가 할 수 있는 것이라고는 도진이 지시한 임무 한 가지를 더 수행하는 것 외에는 없기에, 일단 목적지를 찾아가야 한다.

'춥다. 추워. 몸에 뭐라도 하나 걸쳤으면….'

여전히 알몸인 그가 두 팔을 교차시켜 자신의 가슴을 힘껏 감싸안고는 몸을 덜덜 떨며 걷고 있을 때, 어디선가 신경을 자극하는 소리가 들리기 시작했다.

둥. 둥.

그 소리는 북소리처럼 들리기도 했으며, 둔탁한 생김새의 종을 치는 소리처럼 들리기도 했다. 그리고 창우는 황량한 이곳에서의 갑작스러운 소리에 놀라 자신도 모르게 다리에 힘이 풀리며 바닥에 주저앉았다.

'아, 놀랐잖아. 이 소리는 어디에서 들리는 것이지? 분명 이곳에 아직 아무도 도착하지 않았을 텐데.'

창우는 주변을 천천히 둘러보았다. 짧은 가시거리로는 가만히 앉은 채로 그 소리의 근원을 찾을 수 없다. 그래서 그는 다시 일어서서 걷기 시작했다.

어떤 이유로 지구에서에 비해 몸의 움직임이 가벼워졌음에도, 그의 발걸음에서는 그 어떤 자신감도 느껴지지 않는다. 그가 찾아야 하는 목적지의 위치도, 이 땅의 넓이도 알 수 없고, 제대로 된 빛도, 나침반 따위도 없는 이 상황에서 그의 자신감 없음을 탓할 수는 없다.

너무 막연한 걸음이다. 그것은 마치 작은 배 하나를 드넓은 태평양 밤바다에 떨구어놓고, 어딘가 있을 무인도에 세워진 등대 하나를 찾으러 가라는 것과 크게 다를 바 없다. 하지만 그 막연함에도 임무를 완수해야 한다는 책임감에, 해결책을 마련하던 그의 머릿속에 그럴듯한 생각 하나가 스쳤다.

'잠깐만, 혹시 저 소리는…. 내가 찾아야 할 곳을 알려주는 지침이 아닐까?'

창우는 주기적으로 들려오는 소리에 집중했다.

'소리가 반사될만한 지형지물이 전혀 없는데도 어디에서 소리가

나고 있는지 파악이 쉽지가 않아.'

창우는 일단 자신의 정면을 향해 펄쩍펄쩍 뛰었다. 그는 지구보다 훨씬 약한 이곳에서의 중력에 익숙해졌는지 꽤 안정된 자세로 뛰어올랐다. 굳이 그렇게 과한 행동을 하는 것은 아마도, 그냥 걷는 것보다는 시간을 단축할 수 있다고 믿어서 일 것이다. 그리고 그 행동은, 그가 해야 할 일을 수행하는 데 있어서 실제로 시간을 단축해 주고 있다.

'소리가 미세하게나마 조금씩 작아지고 있어. 그렇다면….'

창우는 뒤로 돌아 다시 뛰었다.

'소리가 커지고 있어. 이대로 가보자.'

그렇게 창우가 한 방향으로 움직이자, 들리던 소리가 점점 커졌다. 그 소리의 근원을 찾아 좌우로 방향을 조금씩 조정해가며 나아가던 창우는, 어느덧 귀가 아플 정도로 그 소리가 커졌다는 것을 확실히 느꼈다.

그러길 잠시 후, 그의 정면에는 사막 한가운데에 우뚝 선 한 그루의 나무처럼 정사각형 모양을 한 실루엣의 무언가가 그의 시야에 들어왔다. 즉, 소리의 발원지에 굉장히 근접한 것이다

'도진이 말하던 게 저건가?'

조금 더 전진하자 그 형체가 확실해졌다. 그리고 마침내 정확한 목표에 도달했다.

그 물체는 정확히 정사각 형태에, 높이는 도진의 말대로 500m는 충분히 되어 보인다. 그것은 곧 면적 역시도 그렇다는 의미이

다.

"우와…. 굉장하군. 이건가 본데."

네닉 시스템이 갖춰져 있던 지하시설에 못지않게 웅장한 그 규모와 형태에 그는 크게 감탄했다. 그것은 일반적으로 지구에서 보던 건축물과는 확연히 다르다. 지구에서는 찾아볼 수 없는 광물의 합성 소재로 이루어져 있는데, 푸른빛을 띠는 데다가 반투명해 보이는 그 외부 모습이 독특하다. 게다가 한 치의 오차도 없이 매끈한 정사각형의 형태를 지니고 있으니 감탄하지 않을 수 없다.

자신이 찾던 것을 발견하였음에도 창우는 전혀 기쁜 내색을 할 수 없었다. 둥둥거리는 저음의 소리가 매우 커, 귀를 막고 있는 그의 몸까지 함께 진동시키고 있는 탓에 그 어떤 행동도 이 소리를 막을 수 없었기 때문이다.

"아, 시끄러워. 속이 울렁거릴 정도네. 도대체 이 소리는 어떻게 끄는 거야?"

창우는 그것에 가까이 다가가 둘러보기 시작했다. 그리고 이내, 자신의 몸을 들이밀 수 있을 정도의 구멍 하나를 어렵지 않게 발견했다. 별도의 문은 없이 그저 뻥 뚫린 사각 형태의 구멍이다. 그리고 그는 별다른 생각 없이 그 구멍으로 자신의 몸을 밀어 넣었다. 벽의 두께는 약 10m 정도로 두꺼워, 그 구멍으로 난 통로를 꽤 오래 지나야 했다.

"으앗."

급했던 몸짓 탓에 자신의 다리가 교차하며 걸린 그는 단발의 비명을 내지르며 넘어졌다. 그리고 그와 동시에 둥둥거리던 저음의 불쾌한 소리가 그의 귀에 들리지 않게 되었다. 소리가 멈췄다기보다는 이 내부가 외부의 소리를 막아주고 있는 것이다. 아무튼, 그는 찾아야 할 목적지도 찾았고, 심신의 안정을 보장해 줄 완전한 고요함도 함께 찾았다.

건물의 안 내부 벽면은 외부에서 보는 것과 비슷하지만 조금 다르게 보이는 요인은, 내부 공간의 정 가운데에 큰 불꽃이 피어있다는 것이다. 야영지에서 피우는 모닥불과 비슷한 모양새이지만 그 크기는 매우 커서, 내부 공간 전체를 어느 정도 밝게 만들어주고 있다. 한 가지 특이한 점은 불의 색이 파란색이다. 그로 인해 반투명한 벽면이 푸른빛으로 보이게 된 것이다. 그리고 그 덕분에 추위에서도 어느 정도 벗어날 수 있게 되었다.

그러나 아직 창우의 임무가 완전히 종료된 것이 아니다. 한 가지가 더 있다. 그리고 이번에는 이전보다 훨씬 수월하게 무언가를 찾았다.

"아…. 이거구나!"

출입구 바로 인근에는 야구공 크기와 생김새를 가진 둥근 돌 하나가 바닥에서 튀어나와 있다. 돌이라고 하기에는 그 역시도 매끈하고 반투명하지만, 도진의 표현대로라면 돌이다. 너무도 매끄러운 바닥에 그런 뭉툭한 돌 하나가 솟아있으니 애써 찾지 않아도 될 정도이다.

창우는 바닥에 쪼그려 앉아 그것을 가만히 지켜보았다. 그러고는 오른손을 그 위에 얹혔다. 그러자 힘을 주지도 않았는데 그것이 아래로 밀려 내려갔다. 예상치 못한 그 물체의 반응에 조금 놀란 창우는 급히 손을 뗐고, 그러자 아래로 내려갔던 그 돌은 다시 원래의 자리로 복귀되었다.

그것을 만졌을 때는 마치 물에 둥둥 뜬 스티로폼을 누르는 것 같은 느낌이었다. 하지만 그 감촉은 분명 지구에서도 흔히 볼 수 있던 돌과 비슷했다.

그것을 누르길 몇 번 반복해보던 창우는, 이제 자세를 고쳐앉아 그 앞에 다리를 펴고 편히 앉았다. 그는 여전히 알몸 상태이지만, 바깥과는 달리 이 안의 공간은 초가을 정도의 기온이기에 어느새 춥다는 느낌을 잊었다. 알몸이라면 분명 추워야 할 기온이긴 하지만, 외부보다는 비교적 따스하기에 쉽게 적응을 한 것이다.

그는 어떤 규칙에 맞춰 그 돌을 눌렀다 떼기를 반복하기 시작했다.

그 시각, 지구의 어느 곳, 네닉 시스템이 있는 지하시설 내 중앙제어실에서는 다른 우주의 그곳과는 조금 다른 느낌의 고요함이 감돌고 있다.

순간 한 연구원이 소리를 질렀다.

"신호가 왔습니다!"

팔짱을 낀 채 서 있던 도진은 그 말에 급히 자신의 가슴팍에 엉켜있던 두 팔을 풀고는 앞에 있던 모니터 화면을 주시했다. 그 화면에는 연속된 그래프가 출력되는 중이다. 그리고 조금 전 소리를 질렀던 연구원이 화면에 나타나고 있는, 굴곡이 분명한 그래프를 보며 어떤 단어를 띄엄띄엄 소리 내어 말하기 시작했다.

"무사히 도착했고, 춥다, 라는 답이 왔습니다!"

도진은 안도를 의미하는 긴 한숨을 내쉬었고, 이내 실내는 술렁이며 들뜬 기색이 나타났다. 하지만 도진은 여전히 냉정함을 표하며 말했다.

"일단 최소한의 생존이 가능한 환경은 제대로 만들어졌나 보군요. 그리고 기온 역시도 계획한 대로 설정이 되어있고."

그러자 옆에 있던 디렉터가 그 말을 받았다.

"그런데 춥다고 표현한 걸 보면 신체에 부담이 가해지는 상태이지 않을까요?"

"당장은 그렇게밖에 할 수 없으니 어쩔 수 없지요."

그의 말에 디렉터는 동의한다는 의미로 말없이 고개를 끄덕였고, 도진은 말을 이었다.

"지금 목적지의 파일럿이 들어가 있는 공간의 내부 온도는 어떻게 설정이 되어있죠?"

"프로그램된 대로라면 파이어볼이 2-R주파수로 진동하고 있을 것이므로, 대략 영상 섭씨 15도에서 17도 정도 될 것입니다."

"일단 파일럿에게는 그곳에서 나오지 않도록 전해주시고, 어서 우리 점검자를 보내어 제대로 체크를 하도록 하죠. 계획대로 진행합시다."

"알겠습니다."

디렉터는 창우로부터 메시지를 받은 연구원에게 곧장 가 무언가를 말했고, 그 연구원은 자신의 앞에 있는 몇 가지 장치를 조작했다.

새로운 우주의 터전 한 귀퉁이에 생성된 '메이커' 안에 쪼그려 앉아 모스 부호 송수신기를 멍하니 바라보고 있던 창우는, 곧 그것이 갑자기 움직이기 시작하는 것을 포착했다. 그것은 정확히 두 가지의 일정한 주기로 움직였고, 그는 지구에서 보낸 응답이라는 것을 쉽게 알 수 있었다.

'아…. 이 안에서 머물라는 거구나. 내가 보낸 신호가 잘 도착해서 다행이군. 어차피 밖은 추워서, 이곳에서 나가라고 했어도 나가지 않을 생각이었어. 어쨌든 제대로 되고 있어서 다행이다.'

창우는 한시름 놓았는지 긴 한숨을 내쉬고는 눈을 감았다. 편도표로 이곳에 온 그는 이제 다시는 지구로 갈 수 없다. 그런 생각이 머릿속을 잠시 스치자, 그는 마음이 시렸는지 고개를 약간 숙이며 조금 전과는 다른 의미의 긴 한숨을 내쉬었다.

그 시각의 지구, 네닉 시스템이 있는 지하시설에서는, 멀리서 대기 중이던 인공지능 로봇 3대가 유유히 창우의 몸이 있는 유리 캡슐로 다가갔다. 그러자 유리통 안에 남아 있던 액체가 바닥의 구멍으로 완전히 빠지며 제거되었고, 로봇들은 캡슐 안으로 들어가 창우의 몸에 붙어 있던 여러 가지 기술적 장치들을 해제하고는, 그의 몸을 들고 어딘가로 향했다. 로봇들의 행동은 정해진 계획에서 약간의 오차나 실수도 없이 매우 정확한 데다가 신속하기까지 하여 빈틈이 없었다.

로봇이 창우의 몸을 다루는 행위는 마치 쌓여있는 빨랫감을 수거해가는 것처럼 냉담해 보였다. 어쩌면 그 로봇들이 아니라 인간이 같은 일을 했어도 아마 비슷한 느낌을 주었을 것이다. 이른바 영혼이 빠진 창우의 몸은 그저 내용물 없는 빵 봉지 같은 것이기 때문이다.

이제 창우가 열어놓고 개척해 둔 전송로를 따라 도진과 그의 동료, 그리고 나머지 피난민들이 목적지로 이주를 시작해야 할 단계가 되었다. 모스 부호를 통해 다른 우주로 간 창우와 소통할 수 있다는 것을 확인한 순간부터, 이미 두 번째 탈출자로 선정된 사람이 준비하고 있었다.

그는 도진과 처음부터 이 연구를 함께 한 동료로, 이름은 타이치이지만, 도진을 비롯한 모든 동료는 그를 이름으로 부르지 않는다. 이곳에서 그가 불리는 명칭은 8번 연구원이다.

그것은 이 프로젝트가 처음 시작될 때 '전달자'라고 밝힌 이 일의 주최자 중 한 명이 제안한 호칭 방식이다. 도진 역시도 다르지 않다. 도진은 1번 연구원이지만, 실제로는 캡틴이라고 불린다. 즉, 캡틴과 디렉터를 제외하고 나머지 연구원과 기술자들은 모두 번호로 불린다.

8번 연구원은 창우가 그랬던 것처럼 같은 모습으로 한 캡슐 안으로 들어갔다. 그리고 끈적하면서도 미끈거리는 액체가 캡슐 안에 가득 채워졌다.

“연구원 8번. 식별 코드 A8MJ30I, 탑승 완료되었습니다.”

“시작해주세요.”

“신체 정보 수집을 시작합니다.”

그리고 그 역시도 차원을 잇는 전송로를 지나 다른 우주로 보내어졌다.

그런데 현재까지 목적지로 전송된 데이터에 이상한 부분이 있다. 일부 데이터 뭉치의 크기가 계획보다 조금 큰 것이다. 하지만 그 부분이 오류로 처리되지 않았기에 아직은 누구도 알지 못하고 있다.

8번 연구원은 성공적으로 새로운 터전에 도착하였고, 창우가 겪었던 것을 그대로 겪었다. 다만 그가 창우와 달랐던 점이 있다면, 그는 이곳이 어떤 곳인지 정확하게 알고 있다는 것이다.

그는 도착 직후 자신의 신체와 정신이 어느 시간 동안 온전하지 않음에 당황하지 않았고, 둥둥거리는 불쾌한 소리에도 놀라지 않았으며, 거침없이 달려 금세 '메이커'에 도착했다. 어쩌면 그의 그런 담담한 행동은 창우가 미리 닦아놓은 길을 간다는 안도감에서 비롯된 것일 수도 있다.

그 안에서 아무것도 하지 않고 멍하게 앉아 있던 창우는 어서 다른 사람들도 이곳으로 오기만을 간절히 기다리고 있었다. 그리고 그가 바란 대로 8번 연구원이 불쑥 안으로 들어서자, 창우는 갑작스럽게 뭔가가 이 안으로 들어왔다는 사실에 심히 놀라 바닥에 붙이고 있던 궁둥이를 크게 들썩였다. 그 모습은 누가 봐도 우스꽝스러워 냉혈한이라도 약간의 미소는 지었을 법하지만, 8번 연구원은 그저 무심한 표정으로 하나의 목표를 향해 뚜벅뚜벅 걸었다. 거침없던 그가 다다른 곳은 조금 전까지 창우가 마주하고 있던 모스 부호 송수신기이다.

차원을 넘나드는 고도의 기술을 사용하는 이들이 이렇게 고전적인 통신 방식을 사용하고 있는 데에는 그럴만한 이유가 있다. 전송 효율 때문이다. 지구에서 다른 차원인 이곳으로 보내야 하는 데이터의 양은 매우 많지만, 시간을 비롯한 시스템 가용 자원은 한정적이다. 그러므로 이와 관련한 모든 과정이 간소화되어야 하고, 간편해야 한다.

8번 연구원은 창우를 본척만척 모스 부호 송수신기 앞에 앉아 그 위에 손을 얹혔다. 그리고 처음 창우가 그랬던 것처럼 그것을 특정한 주기로 눌렀다 떼기를 반복했다.

그가 그것을 통해 지구의 중앙제어실로 보낸 메시지는, 지구를 대체할 이 새로운 보금자리의 일차적 조성 환경이 계획한 대로 되어있는지 등에 대한 것들이다. 그는 창우가 사용한 일반적인 단어의 부호화가 아닌, 도진을 포함한 연구 기술진만 알 수 있는 통신 프로토콜을 사용해 신속하게 각종 정보를 보냈다.

지구의 중앙제어실에서는 두 번째로 지구를 떠난 인간이 보낸 메시지를 정상적으로 수신하였고, 계획에서 벗어난 몇 가지 사항들을 약간 수정하는 작업을 거친 후, 그곳으로 가야 하는 세 번째 인간을 비롯해 이번에는 6명이 동시에 지구를 떠날 준비를 마쳤다.

이제부터는 현재 마련되어 있는 모든 캡슐이 동시에 가동되며 그 과정의 진행도 빨라질 것이다. 창우는 차원의 전송로를 개척하는 역할을, 8번 연구원은 그 전송로와 목적지의 안정성을 확인하는 역할을 제대로 마쳤으니, 이제부터는 한 명씩이 아닌 여러 명이 동시에 이주하는 작업이 시작되는 것이다.

그렇게 '네닉 시스템'은 차례대로 지구인들을 낯선 곳으로 데려다주고 있다.

몰래 이 일을 방해하는 자

창우가 최초로 출발점을 벗어난 후 이어지는 바통은 모두 연구 그리고 기술원들이 우선 번갈아 가며 차례로 이어받았다. 35명의 연구 기술진이 가장 먼저 이곳을 떠나도록 계획된 이유는 안정적인 탈출 가능성 때문이다. 네닉 시스템은 사용 횟수와 시간에 비례하여 열화가 되기 때문에, 그것을 사용하는 순서가 빠를수록 무사히 목적지로 갈 확률이 높다.

과정이 진행될수록 네닉 시스템과 전력 생산 설비, 그리고 지하 시설이 열과 압력, 진동 등을 버텨내야 하는 만큼 뒤로 갈수록 탈출 확률도 줄어든다.

도진이 처음 언급한 탈출 가능확률 77.273% 는 시스템의 성능과 기능이 정상범위에서 유지된다는 전제하에 계산된 평균적 확률이다. 그러므로 네닉 시스템과 시설물의 열화로 인한 예상치 못한 성능 저하 또는 고장이라는 변수를 대입하면 탈출 순번이 앞서있을수록 상대적으로 유리한 것은 확실하다. 그리고 과정 진행 중에 발생한 몇 가지 문제로 인해, 현재 일반 피난 대기자 중 5명은 확정적으로 탈출하지 못하는 상황이다.

그렇게 한창 탈출 과정이 진행되고 있을 때, 12번 연구원이 도진에게 다가왔다. 그는 영어를 사용해 말했다.

"모든 게 잘 되어서 다행입니다."

도진이 아주 옅은 미소를 잠시 지어 보이고는, 다시 굳은 표정으로 바꾼 채 그에게 응했다.

"모든 게 잘 되었다고 미리 단정 짓지 마세요. 아직 결과는 모르니까. 이제 겨우 절반 정도 진행되었을 뿐이잖아요."

"당신 다운 말이군요. 잘 될 겁니다. 나 먼저 가 있을 테니까 곧 보자고요. 행운을 빕니다."

도진은 고개를 끄덕였고, 잠시 후 12번 연구원 역시도 신체 데이터가 차원을 잇는 전송로를 통해 전송되었다.

그렇게 17명의 창설 연구원과 18명의 기술자 중 32명이 탈출하였거나 그 과정을 마무리 중이고, 이제 연구 기술원은 3명이 남아있다. 그들은 도진과 외국인 연구원 둘이다. 하지만 이 연구원 둘은 탈출하지 않기로 되어있었다. 그들이 밝힌 그 이유는 그저 아름다운 지구와 최후를 맞이하겠다는 감동적인 명분이었다.

그리고 원래 도진은 21번째로 탈출하기로 되어있었다. 하지만 무슨 이유에서인지 스스로 그것을 미룬 데다가, 순번조차 정하지 않고 있었다. 주변의 인물들은 그의 그런 생각에 그저 리더로서의 책임감이라고만 여겨 그에 대한 의문을 제기하지는 않았다. 하지만 도진에게는 그럴 수밖에 없는 명백한 이유가 있었다.

'누군가가 이 일을 방해하고 있군.'

처음 탈출 과정이 시작되면서 대부분 시간을 두 손과 두 발을 여유롭게 둔 채 진행 상황을 확인하며 전체적인 통솔만을 하던 도진이, MLS 모듈의 문제점을 발견하면서부터는 그의 손과 발도 함께 바빠져 있다. 그는 수시로 중앙제어실의 모든 컴퓨터와 네트워크로 연결된 최고 결정권자용 컴퓨터 앞에 앉아, 다른 이들이 눈치채지 못하도록 무언가를 확인하고 있다. 그는 계속해서 무언가를 찾는 데 집중하는 중이고, 이 일은 원래 계획에는 전혀 없던 것이다.

그렇게 얼마 정도의 시간이 지난 후 그는, 그의 동생인 진성에게 연락을 취해 자신이 있는 곳으로 불렀다. 그리고 도진은 진성을 중앙제어실의 한구석에 있는 회의실로 데리고 갔다.

둘은 마주 보았고, 도진이 조용한 목소리로 말을 하기 시작했다.

"누군가가 일을 방해하고 있어."

"무슨 일이야? 이미 동료들은 차례대로 떠나고 없잖아."

"쉿. 목소리가 커. 아직 둘 남았어. 네닉 시스템 내부 프로그램에 변화가 생겼어. 목표로 보내져야 할 데이터의 일부가 변형되어 있다고.”

“뭐…? 음…. 그런 어려운 내용은 난 잘 못 알아들어. 어쨌든, 그런 기술적인 내용은 형이나 다른 연구원들이 다 체크를 했을 거잖아.”

“물론 확인은 실시간으로 되었지. 나뿐만 아니라 모든 동료가 교차 검토를 하고 있었으니까. 그런데, 그 단계에서 생긴 문제가 아니야. 완벽한 데이터로 확인되어 목표로 전송되는 과정에서, 그것을 도중에 가로채 일부를 변형시킨 후 다시 전송로로 올리도록 프로그램을 개조한 것 같아. 설마, 그런 문제가 있을 줄은 생각도 못 했어.”

“전송되는 과정? 전송, 전송이라…. 그럼 7번 연구원이 그랬다는 거잖아.”

“아니야. 그 단계 이후에 뭔가가 이루어졌어. 원본 데이터가 전송되기 시작할 시점의 것은 이상이 없어. 데이터가 출발한 이후에 그것을 가로채서 일부를 변형시키는 방법을 쓴 것이지. 데이터가 출발해서 전송로를 탄 이후에는 그 내용에 대한 어떤 확인 과정도 없거든. 물론 수신 측에서 데이터를 확인해 그 결과를 보내주지만, 그 결과는 모든 데이터의 세부 내용을 확인하는 것이 아닌 그저 데이터의 처음과 끝, 그리고 오류 확인용 코드값만 대조해서 응답을 주는 방식이야. 즉, 데이터의 내용이 달라져도 처음과 끝, 그리고 계산 값만 올바르면 문제없다는 응답이 오는 것이지. 누군가가 시스템의 프로그램을 임의로 바꿀 거라는 것은 전혀 예상하지 못했기에 그렇게 효율을 따져 만든 것인데….”

“그렇게 되면 무슨 일이 생기는 건데?”

“우리가 원래 계획했던 그 완전한 형태가 아니게 되는 거야. 물론, 전체 데이터에서 문제가 되는 부분의 비율이 높지는 않아. 하지만, 분명히 처음의 목표와는 조금은 다른 환경이 만들어졌을 거야. 무엇이 어떻게 변형될지는 알 수가 없어. 물론 넉넉하게 시간이 주어진다면 바로 잡는 게 어려운 일은 아니지만, 지금은 그것을 확인해 볼 여유가 없으니.”

“그러면 이 상황에서 뭘 어떻게 해야 하는 건데?”

“일단 데이터를 바꾸는,”

“형, 그런 어려운 말은 집어치우고, 내가 알아들을 수 있게 말해줘. 내가 뭘 하면 되는데?”

“내가 이 문제를 조금이나마 해결하는 작업을 하는데 시간이 어느 정도 걸릴 거야. 그런데 만약 지금 남아 있는 사람 중에 이 일을 방해하는 범인이 있다면? 내가 문제를 해결해놓는다고 해도, 내가 탈출한 후에 또다시 무언가 문제를 일으키겠지. 4번과 11번은 내가 탈출한 후에도 무조건 이곳에 남게 되어있어.”

“루크와 슌스케는 탈출하지 않고 재능기부나 하겠다던 동료들인데 설마….”

“이 정도로 교묘하게 시스템에 손을 댈 수 있는 사람은 처음부터 함께 한 연구원들뿐인데. 일단 저들을 믿을 수 있는지 확인을 해봐야겠어.”

도진은 지금까지 이 시스템을 함께 구축한 동료들을 신뢰했다. 조금 전까지만 해도 분명히 그랬다. 하지만 이제 그들을 의심해야 하는 상황이 된 것이다. 갑작스러운 이 문제는 도진의 평정심을 심각하게 흔들고 있다.

"일단 나는 여길 나가면 곧장 4번과 11번에게 가서, 무언가 문제가 생긴 부분을 찾았고 그것을 수정했다고 말할 거야. 그들이 내가 자신들을 의심한다고 눈치채지 못하게 이미 탈출한 14번의 실수인 것 같다고 말할 거야. 그리고 난 다른 문제는 없는지 직접 확인해보겠다면서 현장으로 내려갈 거야. 내가 언제나 하던 일이니까 거기까진 전혀 의심하지 못하겠지.

그러면 너는 즉시 보안관리실로 가서 감시 카메라로 이곳을 살펴. 만약 수상한 행동을 보이는 자가 있다면 무선 채널을 나에게만 맞추고 통신기로 연락을 해. 무선 채널은 27-8로."

"알겠어."

도진이 먼저 회의실을 빠져나왔고, 이내 진성도 주변을 살피며 조용히 빠져나와 곧장 보안관리실로 향했다. 다행히 그 누구도 도진과 진성의 행동에 눈길을 주지 않고 있다.

도진은 계획대로 두 연구 동료들에게 자신이 찾은 오류에 대해 설명하고는, 한껏 진지한 표정을 지으며 현장이 있는 아래로 급히 내려갔다. 그리고 한창 가동 중인 기계 곳곳을 살피며 무언가를 확인하는 시늉을 하기 시작했다.

진성이 들어간 보안관리실은 비어있는 상태이다. 이미 시스템이 본격적으로 가동 중이고, 외부인들은 출입은 철저히 통제되고 있으며, 현시점에서 굳이 보안관리실에 남아 일을 할 필요는 없기에 담당자는커녕 이곳에 흔한 인공지능 로봇조차 두지 않은 것이다.

진성은 익숙한 손놀림으로, 정면으로 보이는 모니터들에 중앙제어실과 그 인근의 감시 화면을 출력시켰다. 그리고 확대와 축소를 반복하며 그 내부를 자세히 살피기 시작했다.

그러길 3분이 지났고, 아직은 특별히 수상한 점이 진성의 눈에 발견되지 않았다. 연구 동료인 4번 루크와 11번 슌스케는 여러 가지 장치들과 컴퓨터를 다루며 꾸준하게 자신들만의 어떤 일들을 하는 듯 보였다.

2분이 더 지나자 무슨 이유 때문인지 슌스케가 중앙제어실을 나갔다. 진성은 그 장면에 신경을 곤두세워 급히 다른 감시 카메라를 선택해 슌스케의 동선을 추적하기 시작했다. 슌스케는 휴게실로 들어갔고, 그곳에 준비되어 있던 커피를 데우는 중이다.

'뭐야. 커피 마시러 나간 거였어?'

진성이 슌스케에게 정신이 팔려있던 사이, 중앙제어실의 가운데에 자리 잡고 있던 루크가 보이지 않았다. 그것을 알아챈 진성은 급히 감시 카메라를 변경 선택해가며 그를 찾기 시작했다. 다행히 그는 멀리 가지 않았고 중앙제어실의 내의 다른 곳으로 이동하여 일을 하는 중이다.

하지만, 그에게서 무언가 다른 행동이 포착되었다. 그것은 계속해서 고개를 돌려 출입문을 본다는 것이다. 진성은 그의 행동에 집중했다. 그의 그런 행동은 누가 봐도 수상한 모습이다. 문으로 누가 들어올까 초조해 보이는 그의 모습에서 진성은 직감적으로 판단했다.

"이놈이군."

진성은 자신의 귀에 꽂혀있던 통신 이어폰을 통해 도진에게 신호를 보냈다.

"형, 4번. 4번인 것 같아. 지금이야!"

그때, 중앙제어실에 하나밖에 없는 출입문으로 누군가가 들어왔다. 그는 슌스케이다. 루크와 슌스케가 서로 눈이 마주쳤다.

그런데, 출입문을 반복해서 바라보며 무언가를 하던, 그리고 초조해 보이던 루크는 그 모습을 슌스케에게 들켰음에도 당황하는 기색을 전혀 보이지 않았다. 심지어 슌스케가 곧장 자신에게 다가오는데도 하고 있던 어떤 작업을 지속 중이다.

이상했다. 만약 나쁜 행동을 하는 중이라면 당황하거나, 하던 작업을 마무리하고 급히 수습하는 모습이라도 보여야 마땅할진대, 전혀 그런 낌새를 보이지 않았다는 점이 진성의 눈에는 굉장히 부자연스러워 보였다.

"어? 형. 잠시만."

진성은 감시 카메라를 확대하여 그들의 모습을 가만히 지켜보았다. 그리고 도진에게 조금은 흥분된 목소리로 말을 전했다.

"11번…. 4번, 11번, 둘 다 범인이야. 둘이 한 편이야."

그러자 약 5초 후 도진의 목소리가 진성의 귀로 들렸다. 그의 목소리는 평소보다 가늘고 기운 없이 느껴졌다.

"알았어. 중앙제어실 출입문 앞으로 와."

진성은 용수철이 튕기듯 자리를 박차고 일어나 중앙제어실 쪽으로 뛰었고, 마침 그는 중앙제어실으로 가고 있던 도진을 만났다.

"형, 내가 들어가서 처리할게."

진성은 입고 있던 바지의 뒷주머니에 손을 넣어 묵직한 무언가를 꺼내어 들었다. 그것은 권총이다. 그것을 본 도진이 자신의 팔로 진성의 진로를 가로막고는 말했다.

"잠깐. 일단 정말로 우리 일을 훼방 놓고 있던 게 맞는지 확인부터 해야겠어. 그리고 그것이 맞다면…. 왜 그랬는지 이유도 알아내야지. 그 둘은 처리는 그다음에…."

진성은 오른손에 쥐었던 권총을 다시 바지의 뒷주머니에 넣고는 중앙제어실 안으로 발걸음을 옮겼다.

도진이 먼저 중앙제어실의 문을 열고 들어갔고, 진성이 그 뒤를 따랐다. 그 즉시 그들이 본 장면은 서로 다른 자리에 앉아 일하는 루크와 슌스케이다.

그 둘은 마치 도진이 자리를 뜬 후로 서로의 몸이 가까워진 경우는 결코 없었다는 듯, 모른 척 자신만의 어떤 행동을 하고 있다. 그것은 무척 자연스러워, 만약 진성이 감시 카메라로 확인하지 않았더라면 충분히 속고도 남을 정도이다.

도진은 한 컴퓨터에 앉아 손을 바쁘게 움직였다. 잠시 그러는가 싶더니, 고속도로를 달리던 자동차가 급히 브레이크를 잡는 것처럼 모든 행동을 멈추고는 고개를 진성이 있는 쪽으로 돌려 눈짓으로 신호를 주었다.

그러자 진성은 재빠른 파리처럼 움직여 몸집이 큰 루크의 옆구리를 주먹으로 강타하여 일격에 그를 쓰러트렸고, 우당탕하는 소리에 눈이 마주친 슌스케에게는 권총을 겨누었다.

도진은 바닥에 쓰러진 채 신음하는 루크의 두 손을 그의 몸 뒤로 옮겨, 미리 준비해둔 끈을 자신의 바지 주머니에서 꺼내어 루크의 손목을 묶었다. 그런 루크의 복부에 또다시 강한 타격이 가해졌다. 진성이 축구공을 차듯 루크의 복부를 발로 찬 것이다.

무방비상태로 두 번의 강한 공격을 당한 루크는 비명조차 지르지 못하고 몸을 잔뜩 움츠렸다. 그리고 그 장면을 또렷이 보고 있는 슌스케 역시도 아무런 소리도 내지 못하고 두 손을 허공에 올린 채, 한껏 동그래진 눈으로 도진과 진성을 번갈아 보기만 할 뿐이다.

도진은 슌스케에게 다가갔다. 그리고 그의 얼굴을 잠시 빤히 바라본 후 말했다.

“이유가 뭡니까….”

“이유라니? 캡틴, 왜 이러는 거죠?”

“모른 척한다고 넘어갈 일이 아닙니다. 대답해. 이유가 뭔지.”

슌스케는 겁에 질린 표정으로 도진의 얼굴을 잠시 바라보았다. 그런데 갑자기 허공으로 들고 있던 두 손을 내렸고, 그와 동시에 그의 표정에 미소가 지어졌다. 마치 이중인격자인 듯 순간적으로 분위기를 바꾼 그는 냉소적인 말투로 도진에게 응하기 시작했다.

“내가 해야 할 일이니까.”

“그게 무슨 말입니까? 어째서 이 일을 망치는 것이 당신이 해야 할 일인 거죠? 7년 전, 우리가 처음 만난 그때부터 함께 한 일이잖아요. 다른 우주로 가는 것이 우리의 유일한 목표잖아. 그런데 어째서, 어째서 일을 망치려는 것이지? 도대체 뭐가 문제야? 왜 이러는 거냐고!"

"악순환의 고리를 끊어야 해. 넌 정말 아무것도 모르는구나. 하긴, 알면 이따위 짓을 할 수 없지."

"도대체 무슨 소리야. 알아듣게 말해."

"이 지구라는 행성이 뭐라고 생각해?"

도진은 슌스케의 눈을 가만히 보았다. 조롱하는 듯한 눈빛. 그것은 평소와는 확연히 다른 느낌이다. 도진은 그의 물음에 답을 하지 않았다. 아니, 답을 할 수 없었다. 그의 철학적인 물음에 답을 하기 위해 무언가를 생각할만한 여유도 없을뿐더러, 도진이 궁금한 것은 오로지 '당신은 왜 이 일을 망치고 있느냐'는 것이다.

도진은 고개를 살짝 돌려 루크를 보았다. 루크는 여전히 바닥에 쓰러져 몸을 움찔거리고 있고, 그 바로 곁에 선 진성은 총구를 슌스케에게로 가져다 댄 채 매서운 눈빛으로 루크와 슌스케를 번갈아 바라보는 중이다.

그러던 중 슌스케의 입이 다시 열렸다.

"인간의 존재 이유가 뭐라고 생각해?"

도진은 슌스케가 자신이 알고 싶어 하는 것에 대해 절대 알려주지 않을 것을 알아챘다. 그리고 슌스케 역시도 자신의 물음에 도진이 대답하지 않으리라는 것을 잘 알고 있었다.

슌스케가 말을 이었다.

"우리는 자유롭지 않아. 어떤 필요 때문에, 위험물 위에 묶여 사는 거야."

"필요? 위험물? 무슨 미친 소리야?"

슌스케가 기분 나쁜 미소를 지었다.

"인간들이 다른 우주로 탈출하는 것은 또 다른 속박을 스스로 창조하는 셈이야. 이 굴레를 벗어나는 방법은 다가오는 운명을 마주하는 것이야. 그래야 인류라 불리는 것은 언젠가 진정한 자유를 얻을 수 있어. 도진 내 뜻대로 하자. 네닉 시스템을 멈추고 목표 지점을 지금이라도 삭제해야 해. 그래야만 해. 속박의 악순환을 끊어 진정한 유토피아로 떠나자."

도진은 자신의 견해에서는 슌스케의 말들이 도무지 이해할 수 없었다. 그가 미친 것만 같아 보였다. 그래서 도진은 더는 슌스케와 시간 낭비를 할 수 없다고 판단했다. 그리고 도진은 이제 루크와 슌스케를 동료로 인정하지 않기로 했으므로, 그들을 연구원 번호가 아닌 이름으로 불렀다.

"슌스케. 딱 하나만 더 물을게. 이것만은 대답해줬으면 좋겠어. 루크도 너와 같은 뜻을 가지고 있는 거야?"

그러자 슌스케는 미소를 지으며 고개를 끄덕였다. 그것을 본 도진은 슌스케에게서 시선을 놓았다. 그리고 진성에게 어떤 의미를 담은 눈길을 보냈다.

진성은 바닥에 쓰러져있는 루크를 다시 바라보고는 슌스케 쪽으로 몸을 옮겼다. 그러고는 슌스케의 얼굴을 주먹으로 가격했다. 슌스케는 진성이 휘두른 단 한 번의 주먹질에 기절하여 그 역시도 바닥에 쓰러졌다.

도진과 진성은 바닥에 쓰러진 둘을 회의실로 끌고 가 서로의 손과 발은 물론이거니와 몸 전체를 굵은 전선으로 묶었다. 그 모양새로 봐서는, 누군가의 도움 없이 둘 스스로는 그 결박을 결코 풀 수 없을 것이 확실하다.

루크와 슌스케는 서로 등을 맞대어 묶여 앉은 채로 벽에 겨우 기대었다. 슌스케는 여전히 의식을 잃은 상태이고, 루크는 이제야 통증이 나아졌는지 콜록대던 기침을 그치고는, 고개를 들어 도진의 얼굴을 바라보며 말했다.

"캡틴, 도진. 이건 옳은 일이 아닙니다. 해서는 안 될 일이라고요."

도진은 그들을 빤히 바라보며 조금은 냉소적인 표정과 함께 응했다.

"그래. 당신 말대로 옳은 일이 아니라고 칩시다. 그런데 당신은 왜 진작에 자신의 그 의견을 피력하거나, 처음부터 이 일을 그만두게 하지 않고 이제 와서야 이러는 것이죠? 우리 함께 고생해서 네닉 시스템을 만든 것이잖아요. 당신 역시도 프로토타입의 첫 번째 시뮬레이션에 성공했을 때 기뻐했잖아요. 아니야?"

"그건 맞습니다. 내가 기뻐한 것은 미지의 세계를 찾아냈다는 것, 그리고 초자연적인 현상을 우리의 힘으로 일으켰다는 과학적 호기심의 충족에서 그런 감정이 나타난 것일 뿐. 난 초반부터 네닉 시스템은 만들어져서는 안 된다는 것을 깨닫고 있었습니다."

"깨달았다고? 어떻게 깨달았죠?"

루크는 도진의 물음에 잠시 망설인 후 말했다.

"이 상태로는 그것을 말해줄 수 없습니다. 캡틴 당신이 네닉 시스템을 중단해야, 내가 아는 것을 당신에게 전해줄 수 있습니다."

"순서가 틀렸어요. 당신이 먼저 나에게 말해줘야, 당신이 원하는 그것을 할 수 있을지 고민이라도 해볼 수 있죠. 그리고, 네닉 시스템의 가동을 중단하면 우린 지구를 향해 날아오는 괴물체로 인해 사라질 텐데, 당신이 하는 얘기 따위 듣는 게 무슨 의미가 있을까요? 모순적이지 않아?"

그리고 도진은 루크에게 고함을 내지르듯 말했다. 그러나 표정은 이전과는 달라지지 않아 그것이 화를 내는 것인지, 아닌지 알 수가 없다.

"왜 이제 와서! 이렇게 바보처럼 구는 것이지?!"

루크는 평온한 표정으로 도진에게서 시선을 떼지 않은 채 말을 이었다.

"내가 알고 있는 것을 당신이 안 채로 생존하게 된다면, 당신이야말로 딜레마에 빠져버릴 거야. 그리고 더는 평화롭지 않게 될 거야. 그 사실을 부정하기 위해 당신은 뭐든지 해보려 시도를 할거거든. 그래서…. 그만둬. 네닉 시스템을 중단하고 나의 말을 받아들여. 그게 지금의 인간으로서 할 수 있는 최선이야. 만약 당신이 나의 경고를 무시한다면 당신은 계속해서 도전을 받을 거야."

도진은 더는 루크의 말에 응하지 않았다. 그저 가만히 회의실의 작은 창문 너머로 자신과 동료들이 이룩한 결과물을 바라보았다.

그때 진성이 도진에게 다가왔다.

"형, 시간 없어."

그러자 도진이 루크를 보며 말했다.

“루크. 당신의 과학적 재능은 내가 존경할 수 있을 정도였어. 하지만, 이제 더는 너와 함께 할 수 없겠구나. 네가 원하는 대로 이 아름다운 지구와 최후를 맞도록 해. 난 다른 세상으로 가서 새로운 세계를 꾸려나갈 테니까. 루크…. 넌 정말 아까운 인재야.”

루크는 체념한 듯 눈을 살짝 감은 채 옅은 미소를 띠었다. 그러고는 다시 눈을 떠 고개를 한껏 젖힌 후 위를 보며 말했다

“정말로 이것이 될 줄 몰랐습니다. 실패하리라 생각했는데.”

루크의 그 말은 누구를 향한 것인지 분명하지 않다. 혼잣말이라고 하기에는 어떤 분명한 대상에게 전하는 말 같이 들렸다.

“형. 어서!”

도진은 진성의 재촉에, 오른손으로 자신의 이마를 몇 번 문지르더니 빠른 걸음으로 회의실을 나가는 문을 열었다. 하지만 도진은 자신의 시야에 순간적으로 거슬리는 무언가를 발견한 것처럼 다시 뒤를 돌아보았다. 그리고 그의 시선이 슌스케와 루크의 목과 가슴 부분으로 갔다. 그것을 본 도진의 표정에 미세한 변화가 생겼다. 그리고 이내, 반복되는 진성의 다그침에 회의실을 완전히 떠났다.

도진은 중앙제어실의 어느 자리에 가 앉았다. 그러고는 빠른 손놀림으로 무언가를 하기 시작했고, 주변의 모니터에서는 온갖 기호와 숫자, 그리고 문자들이 메워졌다. 그리고 약 3분 후, 통신 이어폰으로 도진의 말이 전해졌다. 그래봤자 현재 그것을 들을 수 있는 사람은 진성이 유일하다.

"민간인 시작합니다. 정해진 순서대로 진행하세요."

이번에는 연구 기술진이 아닌, 민간 피난민이 이 지구를 떠날 차례가 되었다.

원래의 계획에서 많은 변화가 생겼다. 원래의 계획이란, 도진과 진성은 민간 피난자들보다 훨씬 먼저, 연구 기술진과 함께 이 지구를 떠나기로 되어있었다. 그렇게 되면 슌스케와 루크, 그리고 인공지능 로봇들이 민간 피난자들을 맡아 탈출을 시키고 정리하는 것이 원래의 계획이었고, 이미 그렇게 전체적인 시스템에 프로그램되어 있었다. 하지만 현재 슌스케와 루크는 그 작업에서 완전히 배제되었고, 동료가 배신할 것에 대한 준비나 예상은 전혀 없었던 탓에 도진이 그 둘의 역할을 대신해야 한다.

두 명의 연구 동료로 비롯된 불미스러운 일을 마무리한 진성은 다시 대기실 구역으로 내려와, 대기실 안에서 자신들의 차례를 기다리고 있던 피난민들을 지휘하기 시작했다. 그의 태도는 여전히 강압적이고 딱딱하다.

"이제 이 앞부터 순서대로 한 명씩 일어서서, 여기 로봇을 따라가도록 하겠습니다."

그러자 그때, 중간쯤에서 대기 중이던 누군가가 엉거주춤한 자세로 자리에서 일어났다.

"어이, 거기! 앞부터 한 명씩 일어나라고 했잖아!"

진성의 우렁찬 목소리에 모두는 주눅이 들어, 목구멍으로 침이 넘어가는 소리만 들릴 정도로 조용해졌다. 그리고 그중 가장 앞에 앉아 있던 여자가 혼자 일어섰다. 물론 그녀는 자신의 치부를 담요로 가린 상태이다.

그것을 본 진성은 매서운 눈으로 다시 한마디를 던졌다.

“이 문밖으로 나갈 때는 실오라기 하나 걸치지 않아야 합니다.”

그것을 들은 여자는 그 위압감에 짓눌렸는지, 잠시 망설이더니 두르고 있던 담요를 바닥에 떨구고는 완전한 알몸이 되어 문을 나섰다.

조근석과 그의 식구들은, 출입문 근처에서 통제하는 진성과 거리로 가장 멀리 떨어져 있다. 즉, 그들이 가장 마지막 순번이라는 의미이다. 이 사실은 그를 불안하게 만들었다.

하지만 근석을 제외한 다른 민간 피난민들은 진성이 위압적인 태도를 보일 때만 제외하면 그저 담담함을 보이었다. 그들은 근석과 예은의 그룹과는 다르게 미리 계획된 인원들로, 공식적인 통보를 받아 이곳에 모인 사람들이다. 그랬기에 굳이 무언가 일이 잘못될 것이라는 상상을 할 필요는 없었다. 게다가 네닉 시스템의 실체와 그 과정을 모르는 상태에서 진성이 나타내는 자신감 넘치고 단정하며 곧은 태도는, 비록 강압적이지만 오히려 피난민들에게 믿음을 주고 있다.

근석은 이 공간 안에 있는 사람들, 특히 진성을 유심히 관찰하고 있었다. 그런데 진성이 루크와 슌스케의 일로 자리를 비운 후 다시 이곳으로 들어왔을 때, 한껏 예민해져 있던 근석의 눈에 이전과 다른 진성의 모습이 한가지 발견되었다. 그것은 진성의 뺨에 묻어 있는 핏자국이다. 아마도 그가 슌스케의 얼굴을 주먹으로 가격하던 순간 슌스케의 입에 상처가 생겼고, 그때 튄 피가 그의 얼굴에 묻었을 것이다.

근석의 머릿속이 바빠졌다. 진성이 이 공간을 잠시 나간 사이 무슨 일이 있었던 것일까. 지구를 탈출하는 이 어수선한 상황임에도 저토록 정갈하게 외모를 정돈하고 있는 남자의 얼굴에 갑자기 묻은 피는 무엇을 의미하는 것일까. 자신의 외모를 확인할 수 없을 정도로 매우 급한 일을 치른 후라는 의미일까.

근석은 어떤 이유로든 마지막 순번이 불리하다는 것을 본능적으로 깨달았다. 하지만 그렇다고 해서, 자신의 힘으로 네닉 시스템 이용 순번을 앞으로 당길 수는 없으리라는 것 역시도 잘 알고 있었다. 순번을 당겨달라고 요구를 한들, 미운털이 박혔을 것이 분명한 자신들이 원하는 대로 될 리가 만무하다. 하지만 모 아니면 도라고, 일단 시도를 해볼 생각을 했다.

근석은 진성에게 다가갔다.

"이봐요. 나와 가족들의 순번을 조금 앞당길 수 있을까요?"

근석의 말투는 부드러우나, 그 말을 들은 진성은 날카로운 눈빛으로 근석을 바라보았다.

"무슨 이유로 그럽니까?"

"그게…. 아이들이 추워 힘들어하고 나도 추위를 잘 타니, 조금 빨리 탑승을 했으면 해서…."

네닉 시스템의 작동 구조와 방식을 전혀 모르는 근석은 탑승이라는 표현을 썼다. 그러나, 시도는 좋았지만 진성에게는 전혀 통하지 않았다.

"당신네만 춥습니까?"

진성은 논리적으로 결점이 없는 말을 상대에게 던졌다.

근석은 주변을 둘러보았다. 모두는 알몸에 감촉이 거친 얇은 담요 하나에만 의지한 채 잔뜩 움츠려있다. 지하의 깊은 시설인 데다가 지구가 곧 파괴될 상황에 놓여 있는데, 대기실에 온열기 같은 사치품이 있을 리가 없다. 오히려 각종 기계와 전기장치, 그리고 네닉 시스템 구성물들이 내뿜는 열을 식혀줘야 했기에 냉방기가 가동 중이다. 그러니 당연히 모두가 추울 수밖에 없다.

근석은 조급한 마음에 뭔가 더 그럴듯한 핑계를 대지 못한 것을 아쉬워하며 다시 맨 끝자리로 가 앉았다. 그러던 중에도 대기실의 인원들이 차례대로 하나씩 이 공간을 떠나 밖으로 나갔고, 곧 조근석과 식솔들을 비롯하여 19명만 남게 되었다. 그 19명에는 예은의 가족들도 포함되어 있다.

대기 중이던 인원들이 무사히 시스템을 통해 탈출하고 있는 것을 지켜보고 있던 근석은, 자신들도 충분히 가능하겠다는 약간의 안도감을 느끼고는 차분하게 차례를 기다렸다. 그런데, 겨우 찾아온 그의 평정심을 흔드는 장면이 포착되었다. 대기실 출입문 앞에서서 통제하던 진성이 자신의 귀에 꽂힌 통신 이어폰으로 들리는 소리를 듣고는 곧장 중앙제어실로 뛰어가는 모습이 보인 것이다.

진성이 중앙제어실 안으로 들어오자 도진이 상황 브리핑을 했다.

"계산 결과, 이제 12명만 갈 수 있어. 지금 진성이 네가 출발을 하고, 민간인들 10명을 보낸 후 난 가장 마지막에 간다."

그렇다면 현재 남아 있는 민간 피난민 중 7명은 탈출하지 못한다는 의미이다. 도진과 진성 모두 그 사실에 전혀 동요하지 않았다. 그리고 나머지 인원들까지 탈출시킬 의견 따위도 교환하지 않았다.

그 말을 들은 진성이 말했다.

“마지막? 위험하지 않아?”

“지금 상황으로선 오히려 그게 나아. 현재 시스템의 전체적인 상태는 문제가 없으니, 시스템의 가동률과 전력 배분을 가장 마지막에 몰아넣을 것이거든. 아껴 둔 에너지를 마지막에 쏟아부으니 다른 불리한 조건들이 상쇄되어, 실패할 확률은 초반과 크게 다를 바 없게 되지. 물론, 네가 출발할 때도 최대한 성공 확률을 높이도록 조절해줄 거야.”

그 말은 즉, 탈출하지 못하는 것으로 계산된 나머지 피난민 중 일부는 현재의 과정 그대로라면 충분히 탈출할 수 있다는 의미이다. 오히려 그들에게 쓰일 시스템 에너지가 도진 자신과 진성을 위해 쓰이는 것이다.

“그래? 하지만 난 형과 끝까지 남겠어. 내가 있어야 통제가 될 거야.”

“음…. 그래, 그럼 그렇게 해.”

진성은 남은 민간 피난민들의 탈출 과정을 진행하기 위해 다시 현장으로 나갔다. 그리고 민간인 10명이 모두 네닉 시스템을 통해 다른 우주로 떠났고, 잠시 후, 진성이 다른 우주로 가야 할 차례가 되었다. 진성은 조용히 캡슐로 갔고, 신체 정보가 수집, 전송되면서 그 역시도 다른 우주로 떠났다.

그리고 이제 도진이 탈출해야 하는 차려가 왔다. 도진은 익숙하게 자신의 주변 장치들을 설정한 후 텅 빈 중앙제어실을 둘러보았다.

얼마 전까지만 해도 연구 기술자들로 북적거리던 이 공간이 비어있다는 것은 마치, 곧 닥쳐올 지구의 위기를 대변해주는 듯 보인다. 하지만, 지금 이곳에는 도진 혼자만 있는 것이 아니다. 그 모습을 지켜보고 있는 한 사람이 더 있는데, 조근석이다.

근석은 어느 순간부터 진성의 모습이 보이지 않자, 이상한 직감에 대기실을 조용히 빠져나가 주변 상황을 확인했다. 그런 근석을 당황하게 한 것은 그 많던 연구 기술원들, 그리고 인공지능 로봇들이 현장에서 모두 사라졌다는 것이다.

“뭐지? 혹시 다 끝난 건가?”

근석의 이마와 등으로 식은땀이 흘렀다. 그는 곧장 조용히 발걸음을 옮겨, 이내 중앙제어실 근처까지 도달했다. 그때 도진이 안에서 문을 여는 모습이 보였다. 그러자 근석은 급히 몸을 숙여 도진의 시야로부터 피했다.

그리고 잠시 후, 텅 빈 중앙제어실 문을 열어 안을 살핀 근석은 안에 아무도 없다는 것을 확인했다. 그리고 그렇게 다시 나가려던 근석의 눈에, 조금 열려있는 회의실 문틈으로 그 안에 묶여있는 루크와 슌스케의 모습이 보였다. 근석은 천천히 그곳으로 다가갔다.

루크의 모습은 겉으로는 멀쩡해 보였으나, 슌스케의 모습이 그의 시선을 자극했다. 얼굴이 부어있고, 멍이 든 데다가 핏자국까지 있는 것이다.

현재의 탈출 과정에 뭔가 문제가 생긴 것이 확실하다고 생각한 근석은 급히 그곳을 빠져나갔다. 그리고 잠시 후, 그가 본 장면은 도진이 알몸 상태로 한 유리 캡슐 앞에 서 있고, 주변에 로봇 셋이 무언가를 하기 위해 준비 중인 모습이다.

근석은 도진의 얼굴과 구체적인 인적사항을 모른다. 그래서 지금 보이는 저 사람이 이곳의 최고 결정권자라는 사실도 알지 못한다. 하지만 그가 이 시스템을 다룰 수 있는 마지막 인간이라는 사실은 정확히 눈치를 챘다.

'어? 아직 피난민들이 남아 있는데도 기술자들이 전부 떠났다는 거잖아. 기계를 다루어야 하는 사람들이 모두 떠났다는 건, 그렇다는 것은 지금 남아 있는 7명은 버려진다는 건가? 그렇잖아. 이것들을 다룰 수 있는 사람들이 전부 떠나면 그다음은 없는 거잖아.'

근석은 긴장한 채 도진과 그 앞에 있는 캡슐을 주시했다. 그저 그 장면만 무심히 보는 것이 아니다. 이 상황을 해결하기 위해 어떻게 해야 할지 온갖 생각들이 떠오르는 중이다.

이제 도진이 이 지구를 떠날 준비를 마쳤다. 그는 한쪽 벽에 붙어 있는 시계와 타이머를 확인했다. 전광판처럼 큰 시계를 보고 있는 그의 눈에서는 그 어떤 초조함이나 걱정도 느껴지지 않았다. 그것은 자신의 탈출은 기정사실이며, 현재 남아 있는 민간 피난민들은 전혀 생각하지 않고 있다는 의미이다. 사실 그에게는 네닉 시스템을 함께 만든 동료와 특별히 선택된 소수의 민간 피난민들 외에는, 탈출에 있어 애초부터 신경 쓸만한 사항이 아니었다.

그는 우주로부터의 거대한 위협에서 탈출하여 인간의 다양한 유전체를 남긴다는 것, 인류를 보전한다는 것 자체에는 그 어떤 작은 뜻도 두지 않았다. 물론, 이 임무의 처음을 지시하고 지원해 준 정체불명의 사람들이 의도한 목표는 인간의 유전체를 무사히 보전하는 것이다. 그리고 도진은 그것을 충실히, 그리고 최소한으로 이행 중이다. 다만, 그 뜻에는 동의하지 않는 것이다.

그는 생존 그 자체를 벗어난 과한 욕구의 충족만을 위해 투쟁하고 서로를 적대하는 인간들을 불완전하다고 봤다. 그것은 그의 어린 시절의 경험으로부터 고찰하여 나타난 생각일 것이다.

그는 다수와 조금 다른 생각과 모습, 그리고 언행을 가지고 있다고 해서, 조금 독특하다고 해서 항상 타인에게 무시나 괴롭힘을 당했다. 정작 그런 그는 타인에게 직접적인 피해를 준 적이 단 한 번도 없다. 그래서 그러한 어린 시절의 경험이 그의 마음속에서 인류애를 완전히 지워버린 것일 수도 있다.

그리고 사실, 도진은 네닉 시스템의 설계 단계에서 겨우 500명 남짓이 아닌, 현 인류의 절반 이상을 구해낼 방법을 적용할 수 있었다. 어렵긴 하지만 어떤 아이디어는 있던 것이다. 하지만 그는 그러지 않았다. 어쩌면 인간들이 스스로 구원자를 버린 셈일지 모른다.

근석은 탈출을 준비 중인 도진을 유심히 관찰했다. 그리고 그의 행동과 상황으로 그가 이곳의 최고 결정권자인 것을 짐작했다. 근석은, 비록 혼자지만 최고 결정권자가 아직 남아 있다는 사실로 인해 조금이나마 안심을 했다. 자신과 일행의 탈출 가능성이 남아 있기 때문이다.

곧 여러 기계가 가동되는 소리가 다시 지하 공간에 울려 퍼지기 시작했다. 이 순간 그 소리는 도진에게 희망이다. 하지만 근석에게는 절망이다.

근석은 자신과 그의 가족들이 완전하게 배제되었다는 것을 절실히 깨달았다. 그래서 그는 급히 몸을 일으켜 주변을 둘러보았다. 그리고 원래의 용도가 무엇이었는지 알 수 없는 둔탁하고 긴 금속 뭉치 하나를 쥐어 들었다. 금속 부품과 조각들이 널려있는 이곳에서 무기로 쓸만한 도구를 찾는 일은 식은 죽 먹기이다.

근석은 이제 막 유리 캡슐 안으로 들어가려던 도진에게 달려갔다.

30m, 20m, 10m,

그는 들고 있던 무기를 높이 치켜들고는 소리를 질렀다.

"으아앗!"

그 소리에 놀란 도진이 몸을 크게 움찔하며 눈을 동그랗게 떴다. 그리고 얼어붙은 자세로 고개만 돌려 잔뜩 화가 난 표정의 근석을 바라보았다. 서로 초면인 둘은 2미터쯤의 거리에서 마주 보았다. 그리고 도진은 아무 말도 하지 않은 채 근석이 들고 있는 무기 쪽으로 잠시 시선을 돌려 그것을 가만히 보았다.

그러자 근석이 다시 소리쳤다.

"아직 사람들이 남아 있어! 지금 남아 있는 사람들은 왜 탈출시켜주지 않는 것이지? 사람들이 남아 있다는 것을 모르는 건가!?”

그 말에 도진은 지금의 이 상황을 이해했고, 고개를 돌려 다시 시계에 눈길을 주었다. 그의 표정이 순간 움찔거리며 조금은 일그러진 것으로 봐선 이 상황을 해결할만한 여유가 없다는 의미일 것이다.

도진은, 프로그램된 대로 도진을 보호하기 위해 공격 자세로 대기 중이던 로봇들에게 물러나 있도록 지시했다. 든든한 경호원을 굳이 물린 이유는, 루크와 슌스케의 경우처럼 그가 모르고 있는 어떤 문제를 근석이 일으켰을 수도 있기 때문이다.

도진은 다시 둔탁한 무기가 들린 근석의 손을 보았다. 근석의 손과 팔은 잔뜩 힘을 준 듯 근육과 혈관이 울퉁불퉁하게 튀어나와 있다. 그리고 도진은 평소처럼 냉정한 목소리로 말했다. 하지만 느릿하던 그의 말투는 평소보다 훨씬 빨라져 있었다.

“솔직히 말하죠. 당신들은 원래 이 계획에 포함되어 있지 않았습니다. 만약 당신들이 무사히 탈출한다면 나로서는 일종의 무료서비스를 하는 셈이었겠죠. 어쨌든, 박창우 덕분에 당신들까지 모두 탈출시키는 거로 다시 설정했지만, 도중에 예상치 못한 변수가 생겼습니다. 그래서 결론은…. 최대한 무리하면 추가로 두 명까지는 가능합니다.

근석은 심히 흥분한 상태로, 허리에 담요를 두르고 있다는 사실조차 잊은 채 그것을 쥐고 있던 손을 놓아 헐벗은 몸이 되었고, 결국 알몸이 된 남자 둘이 마주 보고 있는, 지금의 이 심각한 상황과 전혀 어울리지 않는 민망한 장면을 연출했다.

근석이 한껏 커진 목소리로 말했다.

"안돼! 남은 사람 모두 탈출시켜. 당신 할 수 있잖아. 이상한 수작 부리지 말고 모두 탈출시키란 말이야!"

"다시 말하죠. 단 두 명입니다. 그 두 명도 최대한 무리를 하는 겁니다. 그 이상은 현실적으로 불가능합니다."

"무조건, 가능하게 만들어!"

"시간은 계속 흐르고 있습니다. 시간이라는 것이 얼마나 소중한 것인지 모르고 지내셨겠지만, 이제라도 느껴보시죠. 나는 지금 당신에게 호의와 친절을 베풀고 있는 겁니다. 하는 모양새를 보아하니 함정을 파놓았을 배포나 재능까지는 없는 것 같네요. 안심입니다.

지금 제 옆에 있는 로봇들이 당신을 제압하는데 단 2초면 됩니다. 그러면 당신은 괴물체가 지구로 오는 것을 구경하지도 못하게 될 겁니다."

근석은 말을 멈추고 도진을 빤히 보았다. 아마도 그 말이 진실인지 확인하려는 최소한의 노력일 것이다.

"정말 딱 둘만 가능해?"

"두 명입니다. 이런 식으로 시간을 뺏는다면 두 명이 곧 한 명으로 줄겠군요."

근석은 몸을 떨었다. 그리고 이내 손에 든 막대를 바닥으로 떨구었다.

"두 명…. 두 명…. 젠장! 그러면 어떻게 하면 돼?"

"선택된 두 명만 순서대로 여기로 오세요."

그 말이 끝남과 동시에 도진은 다시 중앙제어실로 갔다. 그리고 근석은 도진과는 다르게 느릿하고 힘없는 발걸음으로 대기실로 향했다. 그의 발걸음은 걷는 방법을 잠시 잊은 것처럼 무척이나 어색해 보였다.

대기실로 들어간 근석은 자신의 아내와 아이들은 보았다. 그의 몸은 떨고 있고 얼굴은 빨개져, 마치 독한 술을 한 컵 들이키고 온 것만 같다. 그러자 그의 아내는 그에게서 이상함을 감지했고, 무슨 일이냐고 물었다.

"저기…. 잠깐 나 좀 보지."

근석은 아내를 데리고 아이들과 멀리 거리를 둘 정도로 이동했다. 그리고 상황을 설명했다. 이내 그의 아내는 그저 눈물만 흘리기 시작했다.

"방법이 없나 봐…. 일단 애 둘은 이곳에서 탈출시키고, 우린 안전가옥으로 가자. 거긴 아직 우릴 받아줄 거야. 끝난 게 아니야."

안전가옥이란 생존클럽에서 활동할 당시 회원 모두가 힘을 합해 만든 방호시설이다. 그 말을 들은 그의 아내는 한참이나 뜸을 들인 후 겨우 입을 열었다.

"그러면…. 우리 모두 무사해질 수 있다면, 떨어진 애들을 다시 만날 수는 있는 거야?"

근석도, 그의 아내도, 서로가 여기서 헤어지면 다시는 만날 수 없다는 사실을 알고 있다. 그리고 특정된 보호자도 없이 아이들 둘만 네닉 시스템으로 탈출시키자고 한 것은 결국, 어디로 가든 이 지구에 머무르는 것은 생존확률이 거의 없다는 것을 알고서 제안한 것이고, 그의 아내 역시도 그 사실을 눈치챘다.

근석은 말없이 고개를 떨구었다. 그러다 이내 도진이 한 말을 떠올리고는 각성하여 말을 이었다.

"시간이 없어! 서둘러야 해. 일단 애들 둘을…."

근석은 더는 말을 잇지 않은 채 자신의 두 손으로 얼굴만 비벼댔다. 그는 자신의 세 아이 중 둘을 골라낼 수 없다는 생각을 했다. 그리고 어떤 곳인지 알 수 없는 미지의 세계에 특정된 보호자도 없이 어린 아이들만 보낼 수도 없다. 그렇다고 해서, 자신이나 아내가 아이 하나만 데리고 갈 수도 없는 노릇이다.

얼굴이 시뻘게진 채 안절부절못하며 식은땀을 흘리는 근석, 그 옆에서 눈물만 흘리는 그의 아내, 그리고 그런 두 사람을 영문도 모른 채 빤히 지켜보는 세 아이.

근석은 자신의 목을 힘껏 뒤로 젖혀 입김을 크게 내뱉은 후, 다시 고개를 아래로 떨구어 바닥을 보며 조용히 말했다.

"우리 모두 안전가옥으로 갈 거야. 준비해."

그의 아내는 그 의견에 무언의 동의를 한 듯 곧장 자신의 아이들에게로 향했다. 그와 동시에 근석은 대기실 문 앞에 서서 자신을 의문의 눈빛으로 바라보고 있던 예은에게로 다가갔다. 그리고 간략하게 지금의 상황을 설명했다.

근석이 가지고 있던 바통이 예은에게로 넘어갔다. 현재 예은은 자신의 동생과 함께 있다. 원래 그녀는 계획된 정식 탈출 인원 명단에 포함되어 있었기 때문에 탈출 순번이 더 높았다. 하지만 자신의 부모, 동생과 떨어지지 않기 위해 스스로 뒤 순번으로 물러난 것이고, 그녀의 부모는 이미 네닉 시스템을 이용한 상태이다.

그녀는 근석으로부터 지금의 상황에 대한 설명을 듣자 순간 너무 놀라 눈이 토끼처럼 동그래졌고, 어찌할 바를 모르는 것처럼 손으로 입을 가리고는 말을 잠시 잇지 못했다.

잠시 후, 그녀는 여전히 놀란 표정으로 물었다.

"그럼, 근석 씨는 이대로 포기하는 건가요?"

"포기라…. 포기라는 말보다는 선택이라는 말이 더 낫겠네요. 안전가옥도 꽤 튼튼하게 지어졌잖아요. 거기에 기대를 걸어봐야죠."

"그래요…."

"어서, 시간이 없어요. 망설이느라 이미 시간을 많이 썼습니다. 어쩌면 둘이 아니라 한 명만 가능할지도 몰라요. 얼른 동행자를 데리고 커다란 유리통이 있는 곳으로 가세요. 거기에 여기 책임자가 있을 겁니다."

예은은 안타까움과 고마움을 담은 표정으로 근석에게 꾸벅 인사를 했다. 그리고 급히 몸을 돌려 자신의 동생 팔을 힘껏 붙잡아 끌었다. 그러한 그녀의 행동에 예은의 동생은, 자신의 언니가 왜 갑자기 그런 행동을 하는지 의아한 눈빛으로 바라보았지만, 저항은 하지 않은 채 순순히 그녀에게 이끌렸다.

잠시 후 예은이 도착한 곳에는 도진이 서 있다. 도진은 예은을 보며 무심하게 물었다.

"아까 그 사람은…?"

"그분은 포기, 아니…. 다른 안전한 곳으로 피신한다고 했어요.

그래서 저희가 대신…."

"아…. 그렇구나."

도진은 그저 덤덤하게 반응했다. 그리고 예은의 옆에 있는 그녀의 동생에게 눈길을 힐끗 준 후 말을 이었다.

"그런데, 지금 상황에서는 둘 다…."

그때, 그의 입에서 어떤 말이 나올지 충분히 예상한 예은이 도진의 말을 급히 가로막았다.

"알았어요. 여기, 동생부터 먼저 갈게요."

도진은 말없이 예은의 얼굴을 잠시 바라보더니 이내 그녀의 동생에게로 시선을 옮겼다. 그리고 고개를 까딱하며 조금은 건방져 보이는 동작을 취하며 말했다.

"이쪽으로."

그녀의 동생은 어리둥절한 표정으로 예은에게 무슨 일이 생긴 것이냐고 물었지만, 예은은 그저 웃는 낯으로 응했다.

"별일 아니니까 다른 사람들처럼 탈출하면 돼. 나는 바로 다음 차례로 갈 거니까."

그녀의 동생은 도진의 안내에 따라 몸을 가리고 있던 담요를 바닥에 떨구고는 유리 캡슐 안으로 들어갔다. 그리고 도진은 빠른 손놀림으로 그녀의 몸 곳곳에 여러 장치를 장착한 후, 로봇들에게 다음 일들을 맡기고는 다시 중앙제어실로 갔다.

예은은 캡슐 안에 들어가 있는 자신의 동생 모습을 가만히 지켜보았다. 그리고 그녀의 눈에서 눈물이 주르륵 흘렀다. 하지만 그녀의 동생은 생소한 탈출 과정에 적응하느라 그런 언니의 모습을 보지 못했다. 아니, 그것보다 이 순간을 기점으로 서로 헤어진다는 사실을 인지하지 못했기에 굳이 눈여겨볼 필요는 없었을 것이다.

거기서 벗어나라는, 스피커에서 나오는 도진의 목소리에 예은은 힘겹게 몸을 돌려 다시 대기실로 갔다. 그러는 중에도 그녀는 몇 번이나 고개를 다시 돌려 동생의 모습을 눈에 담았다.

대기실에서 옷을 챙겨입고 나오던 근석과 예은이 서로 다시 마주쳤다.

"어? 예은 씨, 왜 다시 여기로 온 거죠?"

"둘 다 못 가나 봐요."

"그렇다면…."

"네. 동생만…."

"아…. 그렇게 되었군요. 그럼 우리와 같이 가도록 하죠. 어서 옷 챙겨입고 나와요."

예은은 대기실로 들어가 자신의 몸을 겨우 가리고 있던 담요를 풀어 던지고, 원래 입고 있던 옷을 다시 챙겨 입은 후 급한 몸놀림으로 대기실 밖으로 나왔다. 그리고 근석 일행과 함께 이곳을 빠져나가기 시작했다.

이 지하시설은 마치 미로와 같아서 출구를 찾기가 쉽지 않다. 사다리, 시설물, 공간, 길게 또는 짧게 굽이진 통로들이 이들에게는 전부 비슷해 보이기 때문이다, 게다가 관광지 따위가 아닌 만큼 시설배치도라거나 약도 같은 것이 어딘가에 붙어 있을 리도 만무하다.

그들이 그렇게 이곳에서 길을 찾아 헤매는 동안 각종 기계음과 그에 따른 소음, 진동이 지속하고 있고, 그들이 들어왔던 길을 겨우 찾아냈을 때는 기계음이 멈추고 마치 증기기관차에서나 들을만한 칙칙거리는 소리가 사방으로 울려 퍼지기 시작했다.

근석의 일행과 예은은 무사히 지하시설을 빠져나와, 모두는 근석이 운전해온 차에 올라탔다. 그리고 그들이 참여한 생존클럽의 안전가옥이 있는 강원도로 향하기 위해 시동을 걸었다.

결국, 예은과 근석은 어렵게 여기까지 왔지만 그 자신들은 아무것도 이루어내지 못했다. 근석은 자신은 물론이거니와 가족들 모두가 탈출에 실패했고, 예은의 경우는 가족들이라도 이 지구를 벗어나게 해주었지만 그들과 몸이 떨어지게 되었고, 연인인 창우와도 다시 만날 수 없게 되어버렸다. 예은은 허전한 마음에 근석의 자동차 가장 뒷좌석에서 온갖 짐들에 둘러싸인 채 조용히 눈물을 흘렸다.

그녀가 그러던 중, 근석은 계속해서 누군가에게 통화를 시도하고 있다. 그리고, 그러길 3분이 흘렀다.

"젠장. 왜 전화가 안 걸리는 거야?!"

근석은 안전가옥으로 들어가기 위해 생존클럽의 구성원들에게 연락을 시도하고 있으나, 전화 신호가 가던 도중 끊기기만 반복하고 있다.

"아무래도 안전가옥의 방호벽이 너무 두꺼워 무선 네트워크 신호가 닿지 않는 것 같아."

안전가옥은 굽이진 험준한 산의 어느 한 곳에 있다. 물론 도진과 그의 동료들이 만든 지금 이곳의 지하 시설과는 비교할 수 없을 정도로 그 규모는 작지만, 여러 겹의 두꺼운 철판과 콘크리트로 무장한, 지구로 다가오는 괴물체라는 요소만 무시한다면 나름 훌륭한 방호시설임은 틀림없다. 그랬기에 일단 문을 닫으면 외부와 완전히 차단되어 전화통화조차 불가한 상황이 되어버리는 것이다. 그렇게 되지 않기 위해 통신 신호 중계 장치라도 설치할 만도 했지만, 어차피 일회용 시설이므로 그런 장치는 사치이다.

닫혀버린 안전가옥의 문을 열기 위해서는 그 내부에 들어가 있는 관계자 중 누구 한 명이라도 연락이 닿아야 하는 상황이지만, 이들은 현재 그럴 수 없는 상황에 놓였다.

근석은 당황스러움을 감추지 않고 온몸으로 표했다. 그러자 지금의 상황을 잘 이해하고 있는 예은이 눈물을 그치고 그에게 말했다.

"거기에 갈 수 없는 상황이라면 차라리 이곳에 있는 게 어떨까요. 오히려 여기가 더 깊은 지하이고, 보니까 안전가옥보다 훨씬 더 단단하게 지어진 것 같아요."

그 말을 들은 근석의 머릿속에 번뜩 스치는 장면이 하나 있다. 그것은 도진과 진성이 중앙제어실 안 회의실에 묶어놓은, 도진의 동료로서의 배신자인 루크와 슌스케이다.

그 생각이 들자마자 근석은 얼른 그의 가족, 예은과 함께 차에서 내려 지하시설로 다시 들어갔다. 예은은 자신의 제안을 근석이 받아들인 것이라고만 생각하여 그저 선두로 달리고 있는 근석을 뒤쫓았다.

이제는 어느 정도 익숙해진 이 지하시설을 헤집고 그들이 도착한 곳은 중앙제어실 안이다. 중앙제어실은 텅 비어, 기계 구동음과 무언가 특정할 수 없는 소음과 냄새만 은은하게 들어차 있다.

근석은 곧장 그 안의 한 방향으로 뛰어가더니 회의실의 문을 벌컥 열었다. 그러자 그 안에는 아직도 묶여있는 남자 둘이 보인다. 한 남자는 정신을 잃고 늘어져 있고, 다른 남자만 고개를 돌리더니 근석과 눈이 마주쳤다. 근석은 그에게로 빠르게 다가갔다.

"이봐요. 한국말 할 줄 알아요?"

상대는 지금 이게 무슨 상황인지 잘 모르겠다는 듯 눈동자를 어색하게 굴리더니, 그의 질문에 바로 대답을 했다.

"조금은 할 줄 압니다."

"당신은 여기 기술자죠? 당신들은 왜 이러고 있습니까? 왜 이곳을 탈출하지 못하고 있죠?"

그러자 루크가 비웃듯 미소를 띠며 답했다.

"나는 거기로 안 갑니다."

근석은 그 이유에 대해 궁금할 여유가 없다는 것을 알고 있었다.

"우리를 탈출시켜줄 수 있어요? 여섯 명입니다."

루크는 마치 이 말이 나오길 예상이라도 했다는 듯 아무렇지 않게 답했다.

"해볼 수는 있습니다. 하지만,"

"하지만? 뭡니까. 얼른 말해보세요."

"협상을 합시다."

루크 역시도 여유가 없다는 사실을 인지하고서는 곧장 말을 이었다.

”이곳을 성공적으로 떠나게 된다면, 내가 원하는 것을 당신이 해준다고 약속을 해주면 됩니다.“

루크로서는 근석이 자신과의 약속을 지킬지 그 여부에 대해서는 고민할 필요가 없다. 그가 원하는 것은 이 지구에서가 아닌, 탈출해 갈 목적지에서 근석이 무언가를 해주는 것이다. 그러므로 실행 여부를 확인할 방법은 없다. 어쨌든 지금 지하시설에 갇혀 온몸이 묶여있는 루크 자신에게는 그다지 손해 볼 것 없는 협상 조건이다.

근석 역시도 고민하지 않고 그러겠다고 했다. 그러자 루크는 근석과 그의 일행, 그리고 예은을 탈출시켜주는 대가로 자신이 원하는 것을 말했다. 그의 조건을 들은 근석은 그가 하는 말을 제대로 이해하지는 못했지만, 일단 그가 말한 모든 것을 기억해 두었다.

근석은 얼른 루크의 몸을 묶고 있는 결박을 풀었고, 자유롭게 몸을 쓸 수 있게 된 루크는 아직 켜져 있던 시스템을 조작하며 근석의 일행과 예은을 동시에 유리 캡슐로 보내 탈출 과정을 진행하기 시작했다. 다만 근석은, 그 혼자만 별도로 잠시 어떤 작업에 협조한 후 탈출 과정에 동참했다.

하지만, 시스템은 이전처럼 완전한 정상 상태가 아니다. 도진이 탈출한 이후 가용 전력은 70%로 줄어 있고, 그마저도 계속해서 줄어들어 어쩌면 순간적으로 발전 장치가 작동을 멈출 수도 있다. 게다가 시스템의 곳곳이 열화가 되어 원래의 성능을 낼 수 없는 데다가, 교체성 부품 중 일부에 문제가 있어 단 한 명이라도 제대로 탈출할 수 있을지 의문인 상태이다.

하지만 루크는 너무 적극적이다. 자신이 탈출하는 것도 아니면서, 전신에 땀이 날 정도로 바쁘게 움직이며 문제 되는 부분을 찾아 고치며 시스템을 조작 중이다. 네닉 시스템의 연구와 제작을 처음부터 함께 한 연구원으로서의 루크는 최선을 다해 근석 일행과 예은을 탈출시키기 위한 작업을 수행 중이다. 물론, 그가 최선을 다하는 데는 그럴만한 이유가 분명히 있다.

다른 우주로 이주한 인간들

서로 다른 차원에 존재하는 우주를 잇는 통로를 통해, 지구로부터 다른 우주로 떠난 사람들의 육체와 정신이 새로운 터전으로 하나둘 도착하기 시작했다. 그들 역시도 예외 없이 창우와 타이치가 겪은 과정을 그대로 겪었다.

도진과 그의 동료인 연구 기술자들에게 이곳은 자신들이 설계한 세상이므로, 이미 알고 있던 정보들과 시뮬레이션 경험으로 인해 처음부터 이 새로운 환경의 적응에 대한 거부감이 없었다. 그래서 몸이 회복되는 과정을 당연하게 받아들였고, 회복되자마자 곧장 그들이 모이기로 약속된 장소인 '메이커'로 향했다.

도착한 순서대로 회복을 시작한 피난민들은 창우가 그랬던 것처럼 이 생소한 환경에 당황하여 대부분은 힘들어했다. 그리고 그들 역시도 출발하기 전 미리 알림을 받은 대로, 찾아가야 할 장소인

'메이커'를 찾기 시작했다. 그 과정은 쉽지 않다. 그럼에도 한 명씩 그 장소를 찾아 들어오는 중이다.

그들이 이전의 지구에서 지낼 때와는 아주 많은 것들이 다르다. 환경적인 부분은 차치하고서 먼저, 모두가 옷을 벗고 있다는 것이 그러하다. 공중목욕탕이나 사우나 시설에서도 그러하긴 하겠지만, 이곳에서는 알몸이 되어, 그것도 남녀 모두가 그 어떤 옷이나 소지품 따위도 없이 맨살을 내보인 채 한 공간에 모이게 되는 것이다.

물론 의식을 완전히 되찾은 직후 얼마 동안은 각자가 자신의 치부를 두 손으로 가리느라 바빴지만, 시간이 지남에 따라 그러지 않게 되었다. 손바닥으로 가리는 것에도 한계가 있거니와, 점차 그러한 서로의 모습에 익숙해지고 있기 때문이기도 하다. 맨몸을 노출하는 것을 당연하게 여기기 시작한 것이다. 그렇게, 환경에 적응하는 인간의 본능이 정상적으로 작동하는 중이다.

그 넓이를 짐작조차 할 수 없는 황량한 땅에 유일한 구조물은 오로지 '메이커'라고 칭하는 높이 500m짜리 건물 단 하나뿐이다. 그리고 그 높고 넓은 메이커 안 공간에 마지막 피난민이 들어오고 어느 정도의 시간이 지났다.

이곳에는 태양도, 달도, 하늘 위에 보이는 다른 항성이나 행성도, 낮과 밤도 없으니 시간이라는 개념이 모호해져 있다.

현재 메이커로 무사히 들어온 사람은 약 400명. 도진을 포함한 연구 기술 인원 30명에, 나머지는 진성과 민간 피난자들이다. 연구 기술 인원은, 도진과 진성에 의해 결박된 슌스케와 루크를 제외하고 33명이 있어야 하지만 3명이 행방불명 상태이다. 그리고 네닉 시스템에 오른 민간 피난자 중에서는 아직 100여 명이 이곳에 도착하지 않은 상태이다.

도진은 이곳에 도착한 연구 기술원들을 메이커의 중간쯤, 그러니까 지면에서 200m 정도 위에 있는 별도의 공간에 불러 모았다. 그 모임에 창우는 제외되었다. 탈출 프로젝트에 창우가 중요한 역할을 한 것은 맞지만, 그렇다고 해서 여러 가지로 원 구성원들과 섞일 수 있는 상태는 아니다.

메이커라는 구조물의 공간은 필요 이상으로 넓은 덕분에 모든 피난민을 가뿐히 수용할 수 있다. 위로는 층이 나 있고, 그에 따라 벽면을 따라 올라갈 수 있는 계단도 있다. 바닥에서는 위로 높게 솟은 천정이 그대로 드러나 보이지만, 벽면을 따라 층을 나누는 판이 겹겹이 설치되어 있기 때문에 내부 공간은 가득 찬 느낌이 든다.

하지만 이곳에는 방처럼 사방이 막힌 공간은 전혀 없다. 일정 간격의 층이 나 있긴 해도, 그저 편평한 판을 벽을 따라 위로 겹겹이 쌓은 모습일 뿐, 별도의 공간이라는 개념을 가진 무언가는 없는 것이다.

연구 기술원들을 한곳에 모은 도진은 디렉터와 함께 현재 상황을 브리핑했다. 그리고 머리를 맞대고 무언가 의논을 시작했는데, 그 주제는 이제부터 해야 할 일에 대한 분업이다.

"그러면, 팀을 세 개로 나누겠습니다."

도진은 모여있는 연구 기술자들을 세 개의 팀으로 나누었다.

"1팀이 해야 할 일은, 아직 도착하지 않은 사람들을 찾아 나서는 것입니다. 수색 지역은 이곳을 기준으로 반경 5km입니다. 그 이상은 의미 없는 것을 잘 아시니 자세한 설명은 생략하겠습니다. 그리고 저와 디렉터가 포함된 2팀은 관리실로 가 최종 프로그램을 실행하도록 하겠습니다."

최종 프로그램이라는 말이 나오자 연구 기술진 중 몇몇이, 왜인지 긴장하는 모습을 나타냈다.

"그리고 3팀은 이곳에 남아 주민들을 챙겨주시고, 최종 프로그램이 작동하면 주민들이 동요하지 않도록 통제를 잘 해주세요. 작업 내용은 모두가 다 알고 있을 테니 역시 생략하겠습니다. 그럼 시작합시다."

그렇게 각각의 역할 수행을 위해 1팀은 이 구조물을 곧장 벗어났고, 2팀은 관리실이라는 곳으로, 3팀은 주민들이 모여있는 곳으로 가 주민들의 상태를 살피며 무언가를 기다리기 시작했다.

시간이 어느 정도 지난 후, 1팀은 이 구조물을 찾지 못했거나 아직 회복되지 않은 상태로 있던 21명을 구출해 데리고 왔다. 그들이 발견한 사람은 모두 74명이었지만 그들 모두를 이곳으로 데리고 오지는 못했다. 그들 중 많은 수가 회복될 만한 상태가 아니었기 때문이다. 그 외에는 지구에서 이곳으로 데이터가 전송되는 과정에 문제가 생겼는지 전혀 찾을 수가 없었다.

이곳에 와야 할 연구 기술자 3명과 민간 피난자 100명가량이 이주에 실패했다. 그리고, 현재 이주자들이 모인 이곳에는, 결과적으로 있어야 할 사람 수보다 4명이 더 있다.

진성이 근석을 알아보았다.

"아니…. 당신이 어떻게…?"

진성은 매우 놀란 표정으로 메이커에 머무르고 있던 근석을 보며 말했고, 근석은 무언가 큰 걱정이 있는 표정을 하고서는 근석의 말을 받았다.

"어떻게 왔는지는 나중에 설명하겠습니다. 그보다, 내 딸 아이 하나가 안 보여요. 나보다 먼저 출발했으니 분명히 왔을 겁니다."

그러자 근석의 일행을 가만히 보던 진성이 말했다.

"당신 뒤에 있는 저 아이 아닙니까?"

"막내딸이 없습니다."

근석과 그의 아내, 그리고 첫째 아들과 둘째 딸은 현재 이곳에 있지만, 그의 막내딸이 보이지 않고 있다. 그리고 근석과 함께 와야 했을 사람 한 명이 더 보이지 않는다. 그 사람은 바로 예은이다. 근석은 현재 자신의 아이가 실종된 것 외에는 아무것도 생각하지 못하고 있다.

"나이는? 그리고 어떻게 생겼죠?"

"5살입니다. 어려서, 외모적인 특징이라고 할만한 것은 딱히 없고, 눈이 가늘고 작은 편입니다."

그 말을 들은 진성은 여유로운 몸짓으로 주변을 한번 둘러보고는 근처에 있는 한 연구원에게 갔다. 그리고 둘이 어떤 대화를 하는가 싶더니, 잠시 후 진성이 근석에게 되돌아왔다.

”분명히 이곳으로 온 것을 맞습니까? 이 안을 잘 찾아봤어요?“

”네. 제가 여기에 있는 거라면 딸아이도 분명 왔을 겁니다. 이 안은 아무리 찾아봐도 보이지 않습니다.“

진성은 무언가를 잠깐 생각한 후 고개를 저으며 말했다.

”이 밖에서는 수색했을 때 보이지 않았습니다. 여기 안에 있는 사람들이 무사히 도착한 전부입니다.“

”여기 밖은 매우 어두침침하고 안개 같은, 아니, 무지개들이 어른거려서 한 치 앞도 잘 보이지 않더군요. 수색하면서 못 봤을 수도 있지 않습니까.“

”우리가 직접 그 대상의 형체를 찾아다닌 게 아닙니다. 외부, 그러니까 지구에서 들어온 생명체 주변으로는 붉은빛만 퍼져있어요. 그 색을 찾아가는 겁니다. 지금 밖에는 밝은 붉은빛으로 변해 있는 지점이 여러 군데 있습니다. 알고 보면 멀리서도 충분히 보이죠. 그곳에는 여기로 데려올 수 없는 사람들만 누워있습니다. 당신이 말한 어린아이는 없었어요. 전부 성인이었습니다.“

”그 지점에 어린아이가 없다는 것을 확실히 본 것이 맞습니까? 이곳 전부를 뒤진 것이 맞습니까? 이 땅의 넓이가 어느 정도 됩니까?“

그의 질문에 진성의 근처에 있던 한 연구원이 그의 질문에 냉소적인 말투로 답했다.

”넓이요? 아마 지구를 수천 개 합한 것쯤 될 겁니다.“

그 말에 근석은 얼어붙어 말을 잇지 못했다. 진성 역시도 짜증어린 표정으로 근석을 보며 한숨을 내쉬었다. 그러자 진성과 근석의 사이에 그 연구원이 본격적으로 끼어들었다.

"이봐요. 넓이가 그렇다는 말이지, 당신의 딸이 그 어디쯤에 있다는 의미가 아닙니다. 지구에서 떠나온 자들은 이 지점에서 5km 내에 무조건 도착하게 되어있어요. 그렇게 프로그램되어 있다는 말입니다. 만약 이 범위 내에 없다면 문제가 생겨서 도착조차 하지 못했거나, 수색의 의미가 없다는 겁니다."

"그럴 리가 없어요. 왜 내 딸아이만, 내 딸아이만 그렇다는 게 이상하지 않습니까!"

이제는 진성이 근석에게 응하기 시작했다.

"당신 딸아이 하나만이 아닙니다. 현재 이곳에 오지 못한 피난자가 100명에 가깝습니다, 게다가 우리 동료 3명은 실종이 되어 보이지 않아요. 나로서는 당신 딸아이보다 우리 동료들이 더 중요합니다. 지금 우리에겐 아직 할 일이 많이 남아 있어서, 연구 기술원 한명 한명이 보물 같은 상황입니다. 그런데 봐요. 내가 지금 그들을 찾아다니고 있습니까? 아닌 건 아닌 겁니다."

진성이 굳이 그와 이런 대화를 나누고 있는 이유는 그저 이 귀찮은 일을 정리하기 위해서이다. 그리고 근석은 진성의 그 말에 응하지 않았다. 그에게서 자신의 문제를 해결해줄 의지가 보이지 않았기 때문이다.

근석은 흥분한 상태로 등을 돌리며 말했다.

"내가 직접 찾아보지요."

진성은 그런 그를 말리지 않았지만, 바로 뒤에 서 있던 그의 아내가 그런 그를 붙잡았다.

"나도 같이 가요."

근석의 아내는 함께 있는 두 아이에게 이곳에서 기다리고 있으라고 말했다. 하지만 낯선 환경에 들어와 있는 아이들은 그의 부모가 자신들을 두고 자리를 뜨는 것을 허락하지 않았다. 그래서 결국 그의 아이들도 그들을 따라나섰다. 진성은 그런 근석과 그 일행의 행동을 말리지 않았다.

관리실이라는 곳에 갔던 도진과 2팀원들이 다시 원지점으로 돌아왔다. 그리고 다시 한번 그들만의 회의 시간을 가지며 최종적으로 이주자의 수가 확정되었다. 도진이 처음 예상한 탈출 확률 77%에 근접한 수이다.

진성은 근석의 일행이 탈출에 성공하여 이곳에 왔었다는 보고를 도진에게 하지 않았다. 이제 다시 오지 않을 거라고 여겼기 때문이고, 중요하지 않은 일이라 치부했으며, 굳이 도진과 동료들에게 골칫거리를 주고 싶지 않아서 일 것이다.

도진과 디렉터는 이 구조물의 가장 꼭대기로 올라갔다. 이곳에는 지구의 고층 건물들에서 흔히 볼 수 있던 엘리베이터나 에스컬레이터 따위는 없다. 그저 높게 단이 솟아오른 계단을 마치 산의 바위를 타고 오르듯 하나하나 올라야 한다. 이 부분에서 한가지 다행인 점은, 현재의 중력이 지구와는 다르게 작아서 날아오르듯 뛰어 계단을 짚고 오를 수 있다는 것이다. 그리고 이 역시도 계획된 설계의 한 부분이다.

고도의 기술을 사용하여 이곳으로 왔지만, 정작 모두가 처음 맞은 장면들은 원시적이라고 볼 수 있고, 이 장소의 기능이라고는 그저 단순히 외부의 추위로부터 몸을 피하는 것이 전부인 것처럼 보인다. 주민들은 아마도 어떻게 이런 곳에서 살아갈 수 있을지 고민하기 시작했거나 실망감을 가지고 있을 것이다.

꼭대기에 나 있는 작은 틈 몇 군데로 눈을 가져다 대고 곳곳을 살피던 디렉터가 급히 몸을 돌려 도진을 보며 말했다.

"곧 시작됩니다!"

그러자 곧장 둘 다 급히 아래로 내려오기 시작했다. 그러고는 진성을 불러 무언가를 일렀다. 그러자 진성이 크게 소리를 질렀다.

"모두 눈을 감고, 귀를 막고, 호흡은 입으로만 가끔 하되 최대한 적게 하고, 몸을 완전히 웅크리십시오!"

연구 기술원들은 주민들을 살피며 지시된 그 행동을 주민들이 제대로 따르는지 확인하기 시작했다. 민간 피난민들은 사전 설명 없는 갑작스러운 난리에 잠시 어리둥절하여 상황파악에 나섰지만, 이 일의 주최자들은 민간 피난민들에게 친절한 설명은 해주지 않은 채 그저 말을 따르라는 답만 주었다.

곧 모두가 바닥에 몸을 붙여 웅크리고, 눈을 감고, 두 손으로는 귀를 막았다. 하지만 숨을 참는 것은 오래 지속할 수 없기에, 모두는 그 지시대로 입으로만 간간이 호흡하는 중이다.

그리고 잠시 후, 갑자기 외부에서 마치 거대한 자연재해라도 시작된 것처럼 땅의 흔들림과 아주 생소한 소음, 그리고 근원을 알 수 없는 밝은 빛이 반투명한 벽면을 통해 마치 번개가 치듯 반복해서 나타나기 시작했다.

그 시각, 근석과 그 일행은 행방을 알 수 없는 가족을 찾기 위해 황량한 공간을 그저 헤매는 중이다. 붉게 변한 지점이 발견되면 그곳으로 뛰어가 실체를 확인했으나 모두가 움직일 수 없는 상태의 다른 사람이었다. 그들은 메이커를 기준으로 해서 방위를 정해 이곳저곳을 찾아다니고는 있으나, 원하는 결과를 낳지는 못하는 중이다.

그들이 그러고 있을 때, 갑자기 지면이 조금씩 꿈틀거렸고, 그와 동시에 번개와 같은 불빛 그리고 괴이한 소리가 반복해서 강하게 나타났다. 그들은 그 빛을 이겨내지 못해 고개를 숙인 채 눈을 감았고, 고막을 강하게 때리는 소리에 손으로 귀를 막았으며, 갑작스럽게 부는 강한 바람에 몸을 가누지 못해 바닥에 납작 엎드렸다.

심지어 은은하게 퍼져있던 불쾌한 냄새는 더 강해져 참기가 어려울 정도가 되었다. 게다가 너무 습하여 순식간에 온몸이 비를 맞은 것처럼 젖었다. 그래서 그 모두는 바닥에 엎드린 채 이러지도 저러지도 못하는 상태가 되어, 지금의 당황스러운 상황 앞에 그저 항복의 몸짓을 취하는 것이 전부이다. 어쩌면 이 상태가 조금 더 지속한다면 버틸 수 없을지도 모른다.

근석과 그의 가족들이 서로의 몸을 붙잡고 심각한 자연재해에 비할만한 무언가에 맞닥트리던 중, 갑자기 누군가가 근석의 머리채를 손으로 잡았다. 근석은 당연히 그 손길의 근원이 바로 옆에 있던 자신의 가족 중 하나라고만 여겼기에, 부둥켜안고 있던 아이들을 더 세게 끌어안았다. 하지만, 계속해서 압박하는 그 손길에 이상함을 느낀 근석은 실눈을 떠 그 정체를 확인했다. 그러자 자신의 바로 앞에 낯선 여자 하나가 얼굴을 들이밀고 있는 것이 보였다.

그것에 깜짝 놀란 근석은 온몸을 사용해 놀랐다는 표현을 하였으나, 여자는 잔뜩 찡그린 얼굴로 근석에게 자신을 따라오라는 손짓만 했다. 평범한 상황이었다면 낯선 자를 이유 없이 따라가는 행위는 충분한 고심 끝에 해야 하겠지만, 지금의 이 상황 자체가 그 낯선 자를 따라가야 할만한 충분한 이유가 되고, 어떤 식으로든 지금보다는 나으리라 판단했기에 몸을 최대한 숙인 상태로 모두가 그 여자를 따르기 시작했다.

이곳에서 한바탕 지진과 폭풍 같은 거친 현상이 몰아친 후, 언제 그랬냐는 듯 모든 것이 고요해졌다. 피난민들이 모여있는 메이커 내부도 만만치 않게 그 영향을 받았다. 두꺼운 벽으로 만들어진 이 구조물조차 그 상황을 완전히 막을 수는 없던 것이다. 그렇지만 최소한의 안전망도 없는 바깥보다는 버티기에 훨씬 나았다.

도진은 몇몇 동료들과 함께 묵직한 무언가로 막혀 있던 또 다른 출입구를 처음으로 열어 조심스러운 몸짓으로 밖으로 나갔다. 그리고 아마 그에게서 지금까지 단 한 번도 나타나지 않았을 표정이 드러났다. 환희, 기쁨, 감동 등의 감정이 최대한 억제되어 그의 얼굴에 드러난 것이다.

그저 얼어붙은 강물처럼 차갑고 매끈하며 편평했던 지면에는 아주 부드러운 흙이 조금은 질퍽한 상태로 메워져 있고, 저 멀리에는 물이 가득 찬 호수와 높고 넓게 굽이지는 민둥산이 만들어졌다. 그리고 무지개색의 연한 빛과 칙칙한 안개로 가득했던 대기는 먼지 하나 보이지 않는 투명하게 바뀌어 있으며, 중력은 지구와 유사하게 변해 움직임에 어색함이 없게 되었다. 그리고 태양이 하늘에 떠 지면의 물체들을 밝혀주기 시작했다. 하지만 지구에서 볼 수 있던 그 태양과는 같지 않다.

곳곳에는, 저 멀리에 있는 산과는 모양새가 다른 낮은 언덕들이 솟아있는데, 그것은 '만능원료'라고 칭하는 독특한 원소들이 뭉쳐 있는 것이다. 만능원료란 그것을 적절하게 분해 가공하는 과정을 거치면 석유, 석탄, 철, 구리, 금, 은 등 모든 산업용 자재와 광물을 만들 수 있다. 심지어 물을 비롯한 여러 액체와 기체까지, 지구에서 활용하던 모든 자원을 생성해낼 수 있는 것이다. 즉, 자원의 원천이라고 할 수 있다.

이렇게, 지구와는 비슷하면서도 다른 환경이 인류의 생존이라는 주제에 특화되어 순식간에 조성되었다.

연구 기술원들을 비롯하여 그들의 가족과 다른 피난자들도 메이커를 빠져나와 그 장면을 마주했다. 처음 도착했을 때 맞닥뜨린 음침하고 눅눅했던 그때와는 다른 모습에 모두는, 막연함에서 비롯된 걱정을 거두고 이제부터 자신들이 살아가야 할 터전을 그저 선명한 눈빛으로 감상하기 시작했다.

"다시 할 일이 생겼군요."

도진은 혼잣말을 하듯 조금은 경쾌한 어투로 주위 동료들에게 자신의 소감을 간단하게 전했다. 그는 분명 지금 이 순간 기쁨을 나타내는 중이다. 하지만 그의 그 상태는 오래 지속되지 않았다. 평소에 보기 힘든 아주 잠깐의 표정을 나타낸 이후에는 다시 그의 얼굴에 무언가 걱정스러움이 있는 듯 약간 그늘이 졌다.

창우는 그런 도진에게 다가가 말을 걸었다.

"이제 다 된 건가?"

그러자 도진이 그에게 시선을 주지 않은 채로 그 말을 받았다.

"절반이 만들어진 것이지. 이제 남은 절반을 해내야지."

"그런데, 우리가 도착하기 전부터 모든 환경이 미리 갖추어지는 것 아니었어? 난 그렇게 알고 있었는데. 처음에 이곳에 도착해서 이상한 모습에 꽤 당황했어. 혹시 그런 척박한 환경에서 살아가야 하는 것은 아닌가 하는 생각에 말이야. 뭐, 물론 뭔가 또 다른 게 있을 거라고는 믿긴 했지만, 이런 식이 될 줄은 전혀 몰랐네."

"물론 아무것도 없는 맨땅에 몸만 와서 그제야 집과 생필품을 갖추는 것보다는, 완전하게 갖춰진 집에 들어가서 사는 게 편리하긴 하지. 그런데, 그럴 수가 없었어. 우리 신체가 이곳에 도착하려면 그 어떤 장애물도 있어서는 안 되었거든.

만약 지금처럼 이 환경이 갖춰진 상태로 우리의 신체가 도착했다면, 누군가는 지면의 흙 속에 파묻힌 채로, 누군가는 공중에서 나타나 중력에 이끌려 빠르게 바닥으로, 또 누군가는 찾기 어려운 어딘가에 도착했겠지. 물론 그런 것까지 고려하여 도착 지점을 정확히 계산해 입력하면 되긴 하겠지만, 변수는 있기 마련이고 그 설정에 대한 계산은 꽤 까다로운 것이었거든. 그래서,"
"아…. 무슨 말인지 알겠어. 그러니까, 사람들의 안전을 위해서 그렇게 한 거구나."
도진은 고개만 살짝 끄덕였다. 그러고는 표정을 살짝 찡그리며 창우의 얼굴을 힐끗 보았다. 방금 도진의 행동은 창우에게 무언가 불만이 있다는 의미일 것이다. 하지만 창우는 그런 도진의 표정을 의식하지 못했다.
창우는 하늘에 떠 있는 태양을 보며 도진에게 계속해서 말을 이었다.
"와…. 태양까지 만든 거야? 대단하군."
그러자 도진이 하늘에 떠 있는 그것을 보며 냉담한 말투로 받았다.
"저걸 태양이라고 해야 할지 모르겠군. 네가 알고 있는 그 태양은 아니야. 그냥 조명등과 방열기 역할을 할 뿐."
"조명등이라고?"
창우는 다시 한번 실눈을 뜬 채 태양을 잠시 보았다. 그로서는 원래 알고 있던 그 태양, 지구에서 보던 그 태양과 어떤 차이가 있는지 알 수 없다.
"이곳은 지구와 같은 행성이 아니야. 지구를 흉내 내어 만든 연극 무대 같은 곳이지. 저 태양처럼 보이는 조명등은 실제로는 아주 가까이 있어. 불타는 작은 가스 덩어리일 뿐. 이제 곧 나타날 구름이나 안개도 무대 효과일 뿐이야. 비도 오고, 때로는 눈도 올 거야. 모두 생존과 적응을 위한 효과 설정일 뿐이지. 물론, 그 물리적 특성 자체는 지구와 똑같아. 지구의 것을 그대로 베꼈으니까. 다만, 지구에서의 그것과는 근본 자체가 다르다는 말이지."

이제 창우는 이러한 설명에 익숙해져 더는 당황하지 않았다. 이해하려고 하지도 않았다. 그저 받아들였다. 그편이 수월하기 때문이다.

둘은 잠시 아무 말 없이 앞으로 자신들이 살아갈 무대를 바라보았다. 그리고 도진이 먼저 창우에게 말을 걸었다.

"저기 말이야. 궁금한 게 있는데."

그가 창우에게 무언가 사적인 질문을 하는 것은 처음이다. 그리고 그 말을 들은 창우가 도진의 입에서 어떤 질문이 던져질지 들으려던 찰나, 갑자기 그의 머릿속에 떠오르는 것이 있었다.

'예은!'

창우는 이곳에 도착한 사람들이 메이커 안으로 속속들이 모여들고 있었을 때, 자신의 부모와 누나가 무사히 온 것은 어렵지 않게 눈으로 확인을 했었다. 하지만 워낙 많은 인원이 좁은 영역에서 북적거리던 탓에 예은의 상태를 직접 확인하는 것은 미루었다. 그는 그녀가 당연히 여기 안 어딘가에 안전하게 있으리라 생각했었다.

창우는 도진의 이어지는 말을 듣기도 전에 급히 몸을 돌렸다.

"나 잠깐만. 확인해야 할 것이 있어서."

창우는 인근에 흩어져있던 사람들을 빠짐없이 훑으며 그녀를 찾기 시작했다. 그러나 그는 그녀를 찾을 수 없었다. 지구에서 이곳으로 출발하기 전에 그녀를 주의 깊게 본 사람도 많지 않고, 이곳에서 목격한 사람도 없다. 그는 그녀가 마지막 순간에 탈출에서 배제되었다는 사실을 알지 못한다. 그래서 그는, 그녀가 결국 피난 실패의 확률 속으로 들어갔다고 생각했다. 그리고, 그녀 가족들의 외모와 신상에 대해 전혀 모르고 있으므로, 그들이 무사히 네닉 시스템을 이용했는지조차도 알 수가 없다. 그래서 그녀의 실종에 대한 그 어떤 단서도 당장은 찾을 수가 없다.

창우는 탈출의 기쁨을 나름의 방식으로 만끽하는 사람들 틈에서 홀로, 예은이 이곳으로 무사히 오지 못한 것에 대해 아쉬움과 안타까움을 삭혔다. 아마 창우 외에도 그와 같은 심정을 가진 사람이 이 안 어딘가에는 있을 것이다.

지구가 파괴될 위기를 피해 무사히 새로운 터전으로 몸을 옮긴 사람들은, 이제부터 새로운 삶을 시작하여야 한다. 지구와 다르지만 비슷한 이 땅에서.

새로운 시작

새로운 환경은 지구와 비슷하여 모두에게 이질감은 크지 않다. 처음 몇 날 동안은 낮만 계속되었지만, 언젠가부터는 발열 조명등이 한쪽에서 다른 쪽으로 천천히 이동하며 서서히 켜지고 서서히 꺼지면서 낮과 밤의 효과가 구현되었다.

계절은 하나로 고정되었다. 발열 조명등의 출력이 낮춰진 밤에는 섭씨 영상 3도, 낮에는 최대 섭씨 영상 25도 정도로 맞춰진다. 비도 내리고, 안개도 낀다. 하지만 눈은 내리지 않는다. 이곳에서의 모든 환경은 인위적인 조정이 가능하므로 그 또한 가능하긴 하나, 당분간은 그러지 않도록 조정된 것이다.

생존에 적합한 환경이 조성되었지만 이제 의식주가 필요하다. 일단 현재의 먹거리는 단 한 가지이다. 그것은 이곳에 쌓여있는 만능원료를 가공한 무언가이다. 도진과 그의 동료들에 의해 만들어진,

신체의 활동과 유지에 필요한 모든 영양성분이 효율적으로 집약된 단일 식품이다.

그것은 진밥처럼 꾸덕꾸덕하며, 한 주먹 크기를 하루에 2번 먹으면 되는데, 미각을 자극하는 온갖 맛이 다 포함되어 있다. 쉽게 말하자면, 맛이 고약하다. 하지만 모두는 그것을 먹어야 생존할 수 있으므로 참고 먹었고, 어느 순간부터는 그 맛에 익숙해져 아무렇지도 않게 되었다.

메이커라는 것은 이곳을 지배하는 원천이다. 이 우주 환경을 최초로 탄생시킨 거대한 에너지 뱅크와는 다른 개념으로, 메이커는 지구에서 미리 설계하고 프로그래밍하여 설치한 인공적인 구조물이다. 쉽게 말하면 이곳의 모든 것을 통제하고 제어하는 제어기라고 볼 수 있다.

메이커의 가장 상층부에는 어떤 물질과 장치들로 가득 차 있다. 물론 지구에서의 기계나 전기장치와 같은 형태는 아니나, 그와 유사한 기능을 하는 무언가이다. 그곳에는 숫자로만 입력이 가능한 키 누름 판, 즉 키보드가 있고, 문자와 기호를 표시하고 나타낼 수 있는 커다란 벽, 즉 정보 출력기가 있다. 형태는 달라도 지구에서의 개인 컴퓨터 시스템과 유사한 입출력기를 갖추고 있는 것이다.

그리고, 비록 겉으로 보이는 것은 원시적이나, 이 우주를 제어하는 역할을 한다는 사실로 봤을 때 그 기능은 감히 어디에 비할 수 없을 것이다.

현재 이곳에서는, 지구에서의 태양을 대신하는 발열 조명등과 안개, 구름, 물, 바람, 공기, 흙 모든 것들이 메이커로부터 제어와 유지가 되고 있다. 다른 의미로, 메이커에 문제가 생기면 이곳의 환경도 쇠퇴하거나 사라진다는 것을 뜻한다. 그런 만큼, 그리고 메이커는 인간의 신체 유지에도 관여하고 있어 이곳에서는 가장 중요한 시설이자 핵심이다.

현재로서는 아직 주거 환경과 의복이 갖추어지지 않고 있으므로 피난민 모두는 메이커 안 공간에서 생활해야 한다. 그리고 한동안은 모두 헐벗은 채로 지내야 한다. 여러모로 원시 시대로 되돌아간 것만 같은 상황이다. 아니, 오히려 그보다 더 척박한 상태가 아닐까 싶다.

식량은 무한정하다는 느낌을 줄 정도로 마련할 수 있기에 그 점에서는 충분하지만, 인간을 제외한 그 어떤 동물이나 식물도, 첨단화된 생산 시절도 없다. 그래서 겉보기로는 아주 미개한 문명 수준에 지나지 않는다.

도진과 그의 동료들이 인간 외에 다른 동물을 함께 피난시키지 않은 이유는 분명했다. 인간의 무사 피난을 위해 써야 할 자원도 부족했기 때문이다. 어쨌든 최초의 피난 목적은 인간의 유전체를 보전하는 것이었기에 모든 가용 자원을 그 목적만을 이루는데 쏟아부은 것이다.

그리고 태양과 태양계의 행성은 없지만, 발열 조명등이 이동하며 켜지고 꺼지는 것을 하루로 정했다. 낮 또는 밤의 유지 시간을 인위적으로 늘리고 줄일 수 있었지만, 생체리듬을 지구에서와 똑같이 유지하기 위해서 지구와 같이 시간을 맞췄다.

그렇게 15일 정도가 지나고, 점차 각종 도구와 생활용품이 마련되기 시작했다. 하지만 탈출하기 직전의 지구에서와 같은 첨단 기술품들은 제작되지 않고 있다.

이곳에서는, 최소한 지금 당장은 21세기 지구 문명에서와 같은 기술의 결과물들이 필요하지 않은 상황이다. 인구도 500명이 채 되지 않고, 기술을 억지로 상업에 끼워 넣어 돈벌이할 필요도 없기 때문이다. 하지만, 유희를 위한 것과 생활에 부수적인 것들을 제외하고라도, 기본적인 생활용품은 갖추어야 한다.

민간 피난민 중에는 유난히 기억력이 좋은 사람들이 일부 포함되어 있었다. 그들은 도진과 연구진이 직접 선발한 인원들로, 인류 역사상의 지식 중 필요한 부분을 익히고 외우는 대가로 피난에 참여할 수 있었다.

그런 구식 방식보다, 책 또는 컴퓨터 메모리 장치 등을 활용해 그대로 이곳으로 옮길 수도 있었겠으나, 그것에는 또 그만큼의 시스템 자원이 투입되어야 했다. 물질보다 생체, 즉 인간의 이주를 더 우선으로 정했기에 차라리 그 인간에게 지식을 집어넣는 방식으로 효율화를 택한 것이다.

이곳의 모든 피난민은 각자 임시 직업을 부여받았다. 건축, 건설, 식품, 물품생산 등 원시 시대를 벗어나기 위한 본격적인 작업에 착수한 것이다. 그리고 이 작업은 오랜 기간이 아닌 단 몇 개월 만에 완료될 예정이다.

그와 함께 마을의 규모와 형태가 자연스럽게 정해졌다. 메이커를 중심으로 인간의 활동 반경이 정해진 것이다. 이곳은 매우 넓어, 자칫 중심 지역을 너무 벗어나면 길을 잃어 다시 되돌아오지 못할 가능성이 크다. 그래서 피난민들은 서로를 보호하고 무난히 생활할 수 있을 정도의 넓이를 거주 구역으로 정해 울타리를 만들었다. 즉, 마을이 본격적으로 만들어지기 시작한 것이다.

빠른 속도로 생산 시설들이 지어짐에 따라 의복과 주거 환경도 곧장 갖춰졌다. 의복은 메이커에서 방출되는 특정한 에너지장을 막기 위한 특수 소재로 만들어져 조금은 괴이하게 보이나, 의복의 기본 기능에는 충분히 부합하도록 만들어졌다.

마을 울타리 안으로 길이 생겼고, 그에 따라 주거와 사무 공간이 만들어졌다. 그리고 이동수단을 비롯한 온갖 도구들도 갖춰져, 단 몇 주 만에 지구에서와 변함없는 생활이 가능할 정도가 되었다. 빠르게 원시 시대를 벗어나게 된 것이다.

이곳의 환경을 자유롭게 제어 가능한 '메이커' 시스템과 고도로 발달한 과학 지식, 기술을 보유하고 있음에도, 그저 지구에서의 환경과 생활을 모방하고 있는 데는 단 하나의 이유밖에 없다. 더 이상을 갖출 필요가 없기 때문이다.

이곳에는 경쟁이 없다. 오로지 상호 간의 협력과 협동만 있을 뿐이다. 물론 인간 사회에서 감정 대립이 없을 수는 없기에 의견 다툼이 일어나기도 하였으나, 잠시에 그칠 뿐이었다. 도진과 그의 동료들의 주도하에 임시로 만들어진 법이 그것을 내버려 두지 않기 때문이다.

평화와 평정을 깨트리는 자는 그 정도에 따라 일시적으로 울타리 밖으로 쫓겨나거나, 완전히 추방된다는 단순하고 간결한 처벌이 내려질 예정이다. 그리고 그것의 실행에는 진성이 담당한다. 진성의 폭력적이고 단호한 성향을 피난민들 모두는 알고 있기에, 될 수 있는 대로 그의 눈에 거슬릴만한 행동을 하지는 않았다. 그것보다, 생존에 대한 고마움이 더 크기에 모두가 평화를 원하고, 실제로도 그렇게 이루어지는 중이다.

그렇게 새로운 삶의 모양새가 안정적으로 갖추어져 가던 어느 날 밤. 창우는 자신이 직접 디자인한 집의 마당에 놓인 의자에 앉아 가만히 하늘을 바라보았다. 하늘은 그저 까만색으로, 작은 점 하나도 있지 않다.

'텅 빈 우주라더니, 진짜인가 보네. 별은커녕 먼지 하나도 보이지 않잖아. 이왕 지구와 비슷한 환경으로 만들 거면 별도 좀 만들어주지.'

창우는 지구에서의 마지막 밤에 보았던 하늘을 떠올렸다. 하늘에서 반짝이며 존재감을 나타내던 수많은 별들. 이제는 그 별들을 기억 속에서만 꺼내 볼 수 있다. 그래서 그는 마치 자신의 기억 속 장면을 꺼내어 검은 하늘에 투영을 시키기라도 하듯, 고개를 젖혀 하염없이 하늘을 보았다. 그러고는 불현듯 예은을 떠올렸다. 그러자 울적한 기분이 들었는지, 한숨을 한번 내쉬고는 고개를 아래로 내리고 좌우로 몇 번을 젓더니 다시 하늘을 바라보았다.

그런데, 그러던 중 갑자기 그저 검기만 하던 하늘에 밝은 실선 하나가 순간 나타났다 사라졌다. 마치 별똥별처럼 순식간에 보인 탓에, 그는 자신이 잘못 본 것이라고만 여기고는 잠시 생각을 멈추었다. 그러자 다시 한번 더 실선이 나타났는데, 이번에는 시작점이 조금 전과는 반대였다.

창우는 분명 잘못 본 것이 아니라는 생각에 한참을 있어 보았지만, 이제 다시는 그것이 보이지는 않는다.

'연구진이 뭔가를 또 실험하는 건가? 내가 이렇게 태평하게 있어도 되나 싶을 정도로 그들을 바쁘게 움직이네. 뭐, 나도 내 밥값은 충분히 했으니 양심의 가책 같은 것은 느낄 필요는 없지만….'

그는 떠오르는 생각들을 정리하느라 잠이 오지 않았는지 별다른 이유 없이 메이커로 향했다. 개인 주택이 하나둘 만들어지기 시작하면서 그에 비례해 메이커 안은 비어가, 현재는 아무도 없는 상태이다.

창우는 그 안으로 들어갔다. 처음 이곳에 온 날 북적이던 사람들은 단 한 명도 없고, 이곳에서 오로지 관심을 끌 만한 것은 모스 부호 송수신기인 작은 돌처럼 생긴 장치이다.

그는 그 앞으로 가서 그것을 가만히 지켜보았다. 처음 보았을 때와는 분명 무언가가 달라진 상태이다. 혼자 처음 이곳에 발을 디딘 후 지구와 통신을 할 때는 그 작은 장치가 사방으로 조금씩 떨고 있었으나, 지금은 그렇지 않다. 그저 고요하게 고정되어 있는 상태이다. 그렇다는 것은 곧, 괴물체가 지구를 삼켰다는 의미일 것이다.

창우는 그렇게 한참이나 감성에 젖은 채로 새벽을 보내다가 집 안으로 들어가 잠을 청했다.

적의 등장

다른 우주, 새로운 터전으로 이주한 지 3개월이 지났다.

삶과 생활을 유지하기 위한 기본적인 환경과 조건은 진작에 갖추어졌고, 원시 시대를 벗어나기 위한 발전의 속도는 쏜살같아, 지구에서 수천 년이 걸렸을 문명의 발전이 단 2개월 만에 이루어졌다. 물론 이미 갖추고 있던 지식과 이곳의 풍부한 자원, 그리고 우수한 연구 기술진과 부지런해진 주민들 덕분이나, 한 가지의 요인이 더 있다.

이곳 모든 인간에게는 이전과는 다른 특징이 있으니, 심신의 능력 자체가 강해졌다는 것이다. 물질대사 효율, 근력, 지능 수준 등이 그에 해당한다. 물론 초인 수준으로 나아진 것은 아니지만, 개별적으로 이전보다는 여러모로 강해져 있는 것이다. 신체 개조 같은 것은 없었다. 다만, 메이커에서 발생 중인 여러 종류의 미세 에너지파 중 하나가 인간의 신체에 영향을 주고 있기 때문이다.

그리고 이곳에는 세균과 바이러스가 존재하지 않는다. 신체 내부의 미생물 중 다수가 인간의 신체와 함께 복사되어 와 인류와 함께 공생하게 되었으나, 외부 환경에는 미생물이 존재하지 않는 것이다. 그래서 감기라거나 전염병으로부터는 안전하다.

새롭게 조성된 마을에는 자연스럽게 사회 시스템이 정착하기 시작했다. 선호에 따라 다시 직업이 정해졌고, 구성원들 간에 지켜야 할 작은 규칙들이 마련되었다.

현재로서는 인류 사회가 독특한 상태로 놓여있기 때문에, 기존의 패러다임을 빠르게 전환할 발전 가능성과 잠재력이 발휘되도록 유도해야 했다. 그로 인해 당장은 실질적이고 물리적, 그리고 생산적인 요소들이 더 중요하다. 그래서 도진의 주도하에 모든 주민은 관념적인 일보다는 실체가 나타나는 일에 집중할 수 있는 직업을 스스로 찾도록 요구되었다. 물론 강제성을 띠지는 않는다.

이곳에서도 도진이 자연스럽게 모든 일을 최종적으로 결정한다. 그것을 거부하는 이는 아무도 없었다. 거대한 위기로부터의 이주를 성공적으로 진행한 대표적 인물이기도 하고, 사방으로 흩어지는 모래를 한 곳으로 모아주는 인물 하나쯤은 필요하기 때문이다. 그 적임자의 가장 중요한 요소는 안정과 신뢰이다.

이렇게 모든 것들이 완전하지 않으면서도 완전하게 이루어져 가는 것처럼 보인다. 이주해 온 인간들에게 이곳은 이른바 낙원이다.

인류의 유토피아가 만들어지고 있던 어느 날 저녁 시간. 갑자기 마을의 외곽에 있던 한 공장에서 큰 폭발음과 함께 녹색 불꽃이 솟았다. 그 공장에서는 의류를 생산하고 있었으며, 다행히 그 당시에는 담당자가 퇴근하여 비어있던 상태였다.

마을의 보안관 역할을 하는 주민들이 급히 상황을 확인하고, 전체를 총괄하는 도진에게 보고했다. 그 보고를 받은 도진 역시도 급하게 몇몇 기술자들을 불러 현장으로 갔다. 이주해 온 이후 처음으로 발생한 사고라서 주민 모두는 긴장하며 그 광경을 주시했다.

폭발로 인한 불길은 금세 제압되었으나 공장 전체는 완전히 무너져내려 더는 사용할 수 없게 되었다. 쉽게 불에 타거나 파손되지 않는 특수한 소재로 지어진 건물임에도, 그 폭발력이 컸기에 형체도 없이 무너져 내린 것이다. 그리고 이 사고의 원인은 밝혀지지 않은 채 당분간 모두가 해결해야 할 몫으로 남게 되었다.

그리고 얼마 지나지 않아 또 다른 건물에서 폭발이 일어났다. 해당 건물은 연구진이 업무를 보는 공간이었고, 두 번째로 일어난 사건이므로 그 이전과는 다르게 중요하게 인지되었다. 심지어 한 명의 연구원이 신체 곳곳에 상처를 입었다. 그렇지만 회복 속도는 무척이나 빨라 단 8시간 만에 자연 회복되었다. 메이커에서 발생하는 특정한 성분의 에너지파 덕분이다.

이번에도 그 폭발의 원인을 알 수가 없었다. 몇몇 사람들이 머리를 맞대고 이 사건의 원인을 파헤치기 시작했다. 하지만 도무지 폭발의 원인을 찾아낼 수가 없었다. 아직은 생활에 필요한 물품의 생산만 자동화되어 이루어지고 있을 뿐, 그것을 넘어서는 첨단 기술이나 광학기기의 생산 시설은 전혀 갖추어지지 않은 것이다. 즉, 광학적 보안 시스템이 갖추어지지는 않았다.

도진은 최근 일어난 두 사건이 결코 우연이 아니리라 생각했다. 분명히 누군가에 의해 고의로 발생한 일이라고 여겼다. 그래서 모두는 일단 떠나오기 전 지구에서의 문명 수준으로 첨단 기술 기기를 생산하는 시설을 서둘러 만들어 안보에 대응해야 했다. 그것은 계획에 없던 일이다.

도진은 지구에서의 구세대적 기술은 될 수 있으면 이곳에 도입하려 않으려 했지만, 어쩔 수 없이 당장 적당한 사람들을 모아 최대한 빨리 일을 진행해야 했다.

그가 지금 하려는 일에 적용되는 것은 떠나오던 지구의 시점에서는 첨단 기술이지만, 이곳에서는 구세대적 기술로 치부되었다. 그만큼 도진과 그의 동료들, 그리고 주민들이 인식하는 과학 기술이라는 개념의 수준이 높아지기도 했고, 패러다임을 획기적으로 바꾸는 발전 방향을 원했기 때문이다.

그리고 창우 역시도 도진이 당장 해야 하는 그 일에 적임자이다. 그도 지구에서는 한 기업의 기술 연구소에서 일하던 사람이었기 때문이다. 물론 이곳에서는 도진과 그의 동료들에게 밀려 한낱 주민에 불과한 취급을 받고 있지만, 그렇다.

그럼에도 그 과정 진행에 창우는 포함되지 않았다. 창우는 도진에게, 그것과 관련해 자신이 할 수 있는 일에 대한 의견을 피력했지만, 도진은 받아들이지 않았다. 창우는 자신도 엄연히 공학자이자 기술자인데, 어째서 도진이 그 일에 자신을 꺼리는 것인지 도무지 이유를 알 수 없었다.

그로부터 시간이 얼마 정도 흘렀을 때, 식량을 담당하여 무언가를 하고 있던 창우를 도진이 찾아왔다.

"창우, 잠깐 시간 괜찮아?"

"아, 물론이지. 어쩐 일로?"

"너에게 물어볼 것이 있어서."

마을의 모든 일을 살피는 도진은 항상 바빴기에 그가 사적인 일로, 심지어 단순히 무언가를 물어보기 위해 직접 이렇게 누군가를 찾아오는 경우는 매우 드물었다. 심지어 두 번의 폭발 사건으로 더 그러할 텐데 이렇게 일부러 찾아온 것이다.

도진이 무언가 물어볼 것이 있다는 말에 창우는, 언젠가 그가 자신에게 어떤 질문을 하려 했던 것을 기억해냈다. 아마도 그때 물어보려다가 그러지 못했던 것을 이제야 다시 꺼내려는 것 같다.

"너와 함께하는 사람이 누구야?"

도진은 그의 뜬금없는 이상한 질문에 어떤 대답을 해야 할지 망설이다, 자신의 손에 들려있던 식량 제조용 재료 덩어리를 가만히 바라보고는 응했다.

"2차 가공 작업은 딜런, 그리고 서미현 씨와 함께하고 있지. 뭐, 처음 해보는 일이라 시간이 오래 걸리긴 하지만, 곧 익숙해지겠지."

창우는 상대의 질문 의도에 맞는 대답인지 알 수 없었지만, 그저 능청거리며 답했다. 그러자 도진이 다시 물었다.

"너와 뜻을 함께하고 있는 사람이 누구냐고. 우리 중에."

이번에 창우는 그 물음의 뜻을 깊이 생각했다. 질문의 내용보다는 도진의 말투에서 어떤 불쾌한 감정이 느껴졌기 때문이다. 그리고 왜인지, 이번에는 그의 질문에 신중하게 답을 해야겠다는 생각이 들었다.

"뜻을 함께하고 있는 사람이라니? 그게 정확히 무슨 말이지?"

도진은 창우의 눈을 한참이나 노려보았다. 그의 눈에서는 어떤 살기가 느껴질 정도이다. 원래 그의 눈빛은 언제나 차갑기에 새삼스러울 것은 없지만, 이번에는 그 정도가 다르다.

창우는 순간 그것이 어떤 의미인지 조금은 짐작을 했다. 하지만 확실하지 않았으므로 다시 한번 확인하는 과정을 거쳤다.

"도진, 너답지 않게 질문이 너무 추상적이야. 그 '뜻을 함께'라는 게 무슨 의미인지 정확하게 말해줘야 내가 답을 해줄 수 있어."

그러자 도진이 곧장 말했다.

"얼마 전에 일어난 폭발 사건들. 그거 담당자의 실수나 우연이 아니야. 혹시나 메이커 시스템에서 어떤 영향을 준 것인지 확인을 해보았지만, 그것에도 문제가 없었어. 그렇다면 고의로 누군가가 사고를 일으켰다는 거야."

그리고 그는 말을 멈췄다. 그러자 창우는 그의 질문이 어떤 의미를 담고 있는지 깨닫고는 말했다.

"그게…. 그 사건이 나와 관련이 있다는 거야? 갑자기 왜 이러는 거야? 탈출 과정에서 나의 역할은 충분히 했고, 순조롭게 진행되었잖아. 내가 무슨 이유로 그런 짓을 하겠어? 설마…. 너의 동료 몇 명이 무사하지 못했던 게 나 때문이라고 생각해? 그건 너무 과한 오해 아니야? 내가 너의 계획을 조금 어긋나게 했다고 해서 이런 식으로 나에게 죄를 덮어씌우려는 거냐고.

나도 여자친구, 그리고 함께 탈출하려 했던 일행을 잃었어. 그렇다고 내가 그런 유치한 방식으로 화풀이를 했을 것 같아? 네가 아무리 사람을 믿지 못한다고 해도 이런 식으로 몰아붙이지는 마. 난 너를 이해해. 그러니 이상한 오해를 그만두었으면 좋겠어. 난 완전하게 무관하니까."

"완전하게 무관? 과연 그럴까…? 네 목걸이."

창우는 알몸으로 이곳에 온 이후로 새롭게 만들어진 옷만을 입고 있기에, 그의 몸에는 어떤 장신구도 걸려있지 않다. 아직 이곳에서는 장신구로 쓸만한 물건들이 만들어지지 않았기 때문이기도 하다. 하지만 도진이 의도한 것이 그가 지구에서 걸고 있었던 목걸이임은 바로 눈치챘다. 하지만 모른 척 되물었다.

"목걸이라니?"

창우는 도진이 하는 말에 어떤 의미가 담겨 있는지 지금 이 순간 완전히 알게 되었다. 하지만 모른 척하며 무엇을 어디까지 알고 있는지 알아보기를 시도했다.

"이곳으로 이주해 오기 전에 차고 있던 그 목걸이. 그게 뭐지?"

창우는 애써 웃으며 말했다.

"아, 그거? 선물 받은 거야. 아깝네. 아끼던 건데. 이곳으로 가지고 오지 못해서. 그런데 갑자기 그건 왜 물어보는 거야?"

"네가 하고 있던 목걸이의 장식이 나의 연구 동료가 가지고 있던 것과 똑같았어. 나를 배신한 동료."

"배신? 그게 무슨 말…. 그나저나, 목걸이 디자인이 같을 수도 있지. 같은 상점에서 산 건가 보네. 세상에 목걸이가 그 두 개만 있는 것도 아닌데. 뭘 그런 것 가지고 나를 거기에 끼워 넣으려고 해? 너무하군."

"그것이 오해라고 나를 완벽하게 설득하거나, 그렇지 않다면 목숨을 걸어야 할 거야. 박창우."

도진의 눈빛은 여전히 살기를 띠고 있었다. 그의 그 눈빛은 납득 될만한 진실이 귀로 들어오지 않는다면 거두지 않을 듯한 기세였다.

잠시 정적이 흐른 후 창우는 굳은 표정으로 무겁게 입을 열었다. 그의 말투는 조금 전과는 달리 냉정함이 묻어 있다.

"후우…. 결국 알아챘네."

"정체가 뭐야. 무슨 짓을 꾸미는 거야. 제대로 말해. 안 그러면."

도진은 이곳에서 절대 권력을 가진 왕이나 다름이 없다. 비록 이 새로운 터전이 구시대적 계급 사회처럼 되는 것을 애써 배척하고 있지만, 그리고 그 자신이 스스로 권력자의 속성을 담지 않았지만, 실질적으로는 지금 이곳을 지휘하고 통제하는 것은 그로부터 이루어지고 있기에 마을의 안전과 안녕을 위한다는 핑계로 마음만 먹으면 창우에게 불리한 조건을 쥐여주는 것은 쉬운 일이다.

창우는 사면초가 상황이 되었다. 지금 도진의 물음에 적절한 답을 하지 못한다면 그게 무엇이든 창우에게 불리한 일이 생길 것이 뻔하다.

"나는…. 인류를 보호하는 국제 비밀 단체의 멤버였어."

"인류를 보호?"

"훗. 네가 그랬지. 이 탈출 계획의 중요한 임무를 위해 네가 나를 선택했다고 말이야. 그렇다면 너는 누가 선택했을까? 너 스스로가 그 사실을 모를 리 없지. 너 같은 녀석이 그걸 우연이라고 치부하지는 않았을 거야. 과연 너는 누가 선택했을까?"

도진은 지금 이 순간, 놀란 표정을 짓지 않으려는 듯 애를 쓰는지 눈 아래가 몇 번 씰룩였다.

"세상사 참 재미있어. 네가 버스 정류장에서 만났던 사람. 그리고 네가 받았던 명함. 그리고 어떤 웹사이트. 그 이후에 네가 해야 했던 일들."

창우가 내뱉는 말에 도진은 더는 참지 못하고 놀란 표정을 지어 보이며 눈을 찡그렸다. 아마도 도진의 머릿속에는 어떻게 창우가 자신이 타인에게 한 번도 밝히지 않은 그 과거사를 알고 있는지 궁금해졌을 것이다.

"응? 말해봐. 과연 너는 누가 선택했을 것 같아?"

창우는 크게 미소를 지으며 도진을 바라보았다. 창우의 능청스러운 웃음과 태도는 너무 생소해 마치 다른 사람 같다. 그리고 도진은 혼란스러움에 어떤 말을 먼저 꺼내야 할지 알 수 없을 정도가 되었다.

"놀랐겠군. 나 역시도 놀랐어. 아주 오랫동안 감추어두어야 할

이야기를 이렇게 꺼낼 줄 생각도 못 했거든."

도진은 두 걸음 정도 뒷걸음을 친 후 천천히 입을 열었다.

"그런 건 이제 와서 중요하지 않아. 네가 어떤 조직의 일원이었든 그런 것보다, 앞으로 네가 무슨 일을 어떻게 저지를지 계획했던 것을 털어놔. 그러면 내가 참작을 해주거나 모른 척해주지."

"성급한 녀석."

창우는 갑자기 도진을 향해 소리를 내지르듯 말했다.

"사건의 이전을 제대로 알고 있어야 다음의 일을 대비할 수 있는 거잖아, 이 멍청한 놈아. 뭐? 과거의 일이 중요하지 않아? 미래는 과거의 연장선 위에 있는 건데, 그게 중요하지 않아?! 정말 그렇게 생각하는 거야? 그런 식으로 앞만 보고 달리니까 일을 이딴 식으로밖에 못하는 거잖아. 헛똑똑이 같으니라고."

창우는 성격이 순식간에 변하기라도 한 것처럼 크게 화를 냈다. 그리고 그 태도는 계속해서 이어졌다.

"일을 맡겨놨더니 이렇게 엉성하게 해놓고 말이야. 이게 뭐야, 이게! 오감이 있으면 제대로 보고 느껴봐. 이게 진정 네가 원하는 삶의 터전이 맞아?! 그 좋은 기술을 겨우 이딴 식으로밖에 구현을 못 해? 겨우 인구 500명 정도를 탈출시켜놓고, 네가 소임을 제대로 했다고 믿는 거야? 그래서 폭발 사건을 일으킨 범인을 찾겠답시고 이따위 어설픈 짓을 시도하는 거야?! 그런 거냐고!"

도진은 처음 보는 창우의 모습에, 그리고 마치 상대가 무언가를 잘못한 것처럼 훈계하는 듯한 창우의 태도에 어리둥절하여 완전히 할 말을 잃었고, 심지어 그답지 않게 두려움까지 일었다. 지금은 기세가 서로 바뀌어 창우의 눈에서 살기가, 도진이 눈은 순한 소처럼 되어있다.

말을 잠시 멈춘 창우는 무언가를 생각하더니, 갑자기 태도를 바꿔 나긋한 목소리로 바꾸었다. 정말 짧은 순간에 창우는 다양한 모습을 역동적으로 보여주고 있다.

"이봐, 도진. 내가 좀 흥분했어. 말을 이렇게 꺼내려던 게 아닌데. 여기 좀 앉아봐. 앉아서 얘기하지. 좀 길어질 것 같으니."

순한 양이 된 도진은 창우의 말에 따랐다. 그 둘은 나란히 어느 한 곳을 바라보며 앉았고, 창우는 자신의 이야기를 시작했다.

창우의 정체

창우는 한국에서 태어나긴 했으나, 부모의 생업과 선택으로 인해 어린 시절을 한 외국에서 보냈다. 그러다가 도중에 귀국하여 중학생 시절부터 한국에서의 생활을 다시 시작한 것이다.

외국에 있을 때 그의 부모는 어느 기업에서의 사무와 일반적인 상업에 종사하고 있었지만, 일과 후 또는 주말에 종종 다른 활동을 하며 에너지를 쏟았는데, 어린 창우는 그것이 돈벌이의 일환이라고만 여겼다. 부모가 밤늦게 귀가하는 일이 가끔 있었음에도 그 이유를 밝히지는 않았기에 그들이 무엇을 하는 것인지는 알 수가 없었을뿐더러, 어린 창우에게 부모의 그런 일과는 그다지 관심거리는 아니었다.

그렇게 외국에서의 생활을 정리하고 한국에서의 삶을 이어나가던 중, 창우가 막 고등학생이 되었을 때 그의 집으로 방문한 외국

손님이 있었는데, 외국인이 집을 방문한다는 것은 이미 익숙해져 있었기 때문에 그저 부모와 친분이 있는 사람이 한국 관광을 왔겠거니 하고 생각했었다. 하지만 그 손님들은 오로지 창우에게 관심을 보였다.

그들은 창우에게 어떤 모임에 가입할 것을 제안했다. 그 모임의 명분은 대단할 것은 없었다. 전 세계의 다양한 사람들과 문화를 교류하고 서로가 가진 정보를 나누는 건전한 취지일 뿐이었다. 최소한 겉보기 명분이 그랬다.

명랑한 성격에 대인관계와 사회성이 우수한 편이었던 창우는 그 제안을 환영했다. 그의 부모 역시도 해당 클럽의 오랜 회원이었다는 사실을 알게 되었기에 거부할만한 이유는 없었다.

클럽의 본거지는 외국의 한 대도시 번화 지역의 중심이었다. 그리고 매달 한 번씩 공식적인 정기적 모임을, 그리고 매달 한 번의 비공식적 모임을 가졌는데, 그 장소는 매번 달랐다. 그 때문에 창우는 매달 두 번씩 외국으로 다녀와야 했다. 원래 그의 부모가 그러했으나, 마치 이어달리기의 바통을 넘겨받은 것처럼 이제는 창우가 그 클럽의 일원이 되어 모임의 활동을 이어가게 된 것이다.

모임의 회원이 되는 조건은 매우 까다로웠다. 단순히 사회적 지위가 있다거나 부자라고 해서 가입할 수 있는 것은 아니었다. 모임의 명분 자체는 거창하지 않았지만, 이상하게도 회칙이 까다로워 원한다고 해서 가입할 수 있는 조직이 아니었다.

각국의 다양한 인종과 직업, 그리고 국적을 가진 사람들이 그 일원이 되어있었고, 그 전체 인원이 얼마인지는 밝혀지지 않았다. 어차피 주기적으로 열린 공간에서 서로가 얼굴을 마주하고는 있었지만, 그 장소가 제각각이었기 때문에 모든 회원이 동시에 한자리에 모이는 일은 결코 없었다. 그래서 매달 공식 정기 모임의 어느 장소에서 만나는 회원들의 얼굴은 이전 모임 때와 다른 경우가 많았다.

그리고 왜인지 회원들끼리 개별적이거나 비밀리에 교류하는 일은 철저히 금지되었다. 그래서 오랜 기간 활동해 온 일반 회원은 대략 전체 인원을 추정해 볼 수는 있지만, 정확하게는 알 수 없는 것이다.

가입이 가능한 조건을 엿볼 수 있는 단서가 하나 있었는데, 회원들에게는 공통점이 있었다, 모두가 박애주의자라는 것이다. 인류를 위한다는 대주제에 따라 인성에 결함이 있으면 가입 제안은커녕 가입하더라도 성격적 결함이 발견됨과 동시에 중도 탈퇴 처리가 되었다.

돈을 벌기 위한 사업 목적도, 종교적인 집회를 하는 것도, 학술 교류를 위한 것도 아닌 이 클럽의 회원들은, 각자의 활동에 따라 창설자들로부터 금전이나 개별적으로 필요한 사회적 정보를 제공받았다. 클럽의 회칙에 따라 그 역할을 충실히 해내거나 회원 자격을 오래 유지하면 할수록 자연적으로 온갖 혜택이 뒤따르는 것이다.

회원들끼리도 유용한 정보와 재물로 서로 도움이 되는 관계이므로, 일단 이 클럽에 가입이 되어 결격사유 없이 유지만 된다면, 인생이 수월하게 풀리는 것은 물론이거니와 예상이 어려운 위험으로부터도 확실하게 보호를 받았다. 인생을 삶에 있어서 방호막을 몇 겹 두른다는 것은, 그만큼 원하는 삶에 대한 기회가 더 유리하게 주어진다고 볼 수 있다.

다만, 회원들끼리 개별적으로 연락을 취하거나 만나는 것은 철저히 금지되었기에, 회원들 간의 소통은 오로지 본거지의 건물이나 세계 각국에 마련된 여러 아지트에서만 이루어져야 했다. 그러므로 연락처를 주고받거나 개인 신상에 대해 물어보고 답을 하는 것은 절대 허용되지 않았다. 만약 그 사실이 들통난다면 즉시 탈퇴 처리가 되었고, 모든 혜택이 회수되었다.

창우는 이 클럽의 존재와 목적에 대해서 처음에는 잘 알지 못한 채로 그저 친목 모임으로 알았고, 그렇게 가입이 되어 활동을 시작했다. 이 집단의 지도자들은 처음부터 회원에게 무작정 클럽의 설립 목적을 주입한다거나 어떤 활동을 강요하지 않았고, 회원이 회칙과 활동을 서서히, 그리고 자연스럽게 깨닫도록 교묘하고 은밀한 방법을 썼다. 그래서 창우는 정기 모임에 참여하게 되면서 이 클럽의 실체에 대해 점점 알아가기 시작했다.

창우가 대학교 입시 시험을 치르기 6개월 전, 정기 모임에 참여한 그에게 지도자의 대리인으로부터 한가지 과제가 주어졌다. 클럽의 지도층으로부터 직접 어떤 역할이 주어진다는 것이 흔한 일은 아니었지만, 그렇다고 이상하게 생각하지는 않았다.

그에게 주어진 과제는 과학 기술에 재능이 있는 숨겨진 천재를 발굴해내는 것이었다. 물론 조건은 그것 하나만이 아니었다. 매사에 두려움이 없으면서도 폭력성이 없어야 하고, 배포가 넉넉하면서도 올바르지 않은 일에는 관여하지 않으며, 세상에 알려지지 않은 인물을 1년 안에 한 명 이상 선정해야 했다. 너무 어려서도, 너무 속세에 찌들어서도 안 된다는 뜻이 포함되어 있기도 했다.

너무 어리면, 10대를 지나며 호르몬의 변화로 인해 성격이 변할 수도 있기에 시간이 지나면서 그 조건을 충족하지 못할 수 있고, 사회생활을 오래 했다면 이기적 욕망이 개입될 가능성이 크다. 그리고 이 과제는 창우뿐만이 아닌 다른 몇몇 회원들에게도 주어졌다. 결코 쉬운 과제는 아니었지만, 어떤 대의를 위해 자율적으로 참여하는 만큼 실패에 대한 책임을 지지는 않는다.

한국을 담당한 창우는 적극적으로 주변을 탐색했다. 그는 그저 각국의 우수하고 선량한 사람들과 문화와 정보를 교류한다는 그 모임에 집착하는 편이었기에, 자율적 과제라고 해도 그것을 완전하게 수행하려고 마음을 먹었고, 노력했다. 그리고 예상했던 것보다 쉽게 한 인물을 찾아냈다. 그 인물의 이름은 '차도진'이다.

일단 클럽의 지도자들이 제시한 조건에 거의 부합하는 사람을 찾아낸 창우는 정기 모임에서 그 사실을 공유했다. 그리고 그 과제가 주어진 이유가 궁금해졌다. 자신이 알고 있는 클럽의 성격으로 보아 누군가를 해치려는 목적은 분명히 아닌 것 같은데, 적합한 인물을 찾아냈다고 알렸어도 그 사람을 클럽에 신입 회원으로 가입시킨다거나 무언가 일을 맡긴다는 식의 후속 행위가 전혀 없었기 때문이다.

그의 부모는 그에 대해 무언가 알고 있는 눈치였지만 그 사실을 창우에게 말해주지 않았다. 그저 때가 되면 알게 될 것이라는 말만 건넬 뿐이었다. 정말로 몰라서 그런 건지, 아니면 알고는 있지만 말해주지 않는 것인지는 알 수 없었다.

클럽에서는 서로 거리낌 없이, 그리고 비밀 없이 투명하게 교류하는 것이 원칙이긴 했지만, 이번은 특별한 경우였기 때문에 자세한 사항을 공개하지 않은 것이다. 나중에 알게 된 사실이지만, 이런 식으로 과제가 주어지는 것도 이번이 처음이었다. 무언가 특별한 일이 꾸며지고 있다는 근거였다.

창우는 자신이 찾아낸 인물에게 어떤 일이 생길지에 대해 더 탐사를 해보기로 했다. 그것은 어떤 책임감과 장난기가 약간은 섞인 생각이었다.

일명 마당발답게 지인과 그 지인을 통해 도진의 신상에 대해 어느 정도 파악하고 있던 창우가, 도진의 생활 동선을 파악하는 것은 어렵지 않았다. 고등학생 신분이어야 마땅한 도진은 학교라는 곳에 속하지 않은 자유의 몸인 데다가, 주로 도서관과 집 사이의 단순한 이동 동선을 가지고 있었고, 자신과 같은 지역민이었기에 그를 관찰하는 것은 쉬운 일이었다.

틈틈이 도진을 관찰하기를 15일 정도가 지난, 그리고 매서운 추위를 머금은 바람이 힘차던 어느 겨울날, 창우는 버스 정류장에 서 있는 도진을 가만히 지켜보았다. 도진은 이 추위에도 손에 두꺼운

책을 들고 그것을 집중해서 읽고 있었다. 정말 독특하다 못해 기이함마저 묻은 행동이다.

사람에게 호기심이 많은 창우가 평범하지 않은 그를 관찰하는 것은 전혀 지루한 일이 아니었다.

그렇게 도진이 언제나처럼 버스 정류장에서 버스를 기다리고 있을 때, 한 남자가 도진에게 접근하는 것이 보였다. 그 장면을 유심히 보던 창우는 모른 척 그들에게 가까이 다가가 대화를 들으려 했다. 하지만 대화 내용을 완전하게 파악할 수는 없었다.

그다지 특별하지 않은 것 같은 둘의 대화가 오간 후 낯선 남자는 사라졌고, 곧 도진이 타야 할 버스가 도착했다. 그런데 그의 한 손에 들려있던 작은 종잇조각이 버스를 오르는 동시에 바닥으로 떨어졌다. 하지만 잠시 멈칫하던 도진은 자신이 버린 듯한 그 종잇조각을 다시 주워들었다. 그리고 창우는 도진을 뒤따라 그 버스에 올라타, 눈치채지 못하게 도진을 관찰했다.

잠시 후, 도진이 다시 그 작은 종잇조각을 바닥에 버리는 장면이 보였다. 조금 전 그 낯선 남자가 건넨 것이 분명해 보이는 그 종잇조각이 궁금했던 창우는, 도진이 버스에서 내릴 때까지 기다렸다가 그 종잇조각을 주워들었다. 그것은 누군가의 명함이었는데, 소속이나 이름은 없고 웹사이트 주소 하나가 길게 인쇄되어 있었다. 그리고 명함의 한 귀퉁이에 아주 익숙한 것이 보였다. 그것은 창우 자신이 속해 있는 클럽을 나타내는 대표 상징이다.

창우는 그것을 주머니에 넣고 집으로 와, 거기에 인쇄된 웹사이트 주소에 접속했다. 그러자 그 웹사이트의 한쪽 귀퉁이에서 클럽 상징이 분명하게 보였다. 하지만 의미를 알 수 없는 사진 하나와 그 아래에 적힌 글 외에는 더는 열람을 할 수 없었다. 자신의 클럽 상징과 내용을 볼 수 없는 웹사이트라는 연관성에 큰 호기심이 인 그는, 어떻게든 회원가입을 해보려 시도했지만 그럴 수 없었다. 특정인에게만 이 웹사이트를 열람할 수 있는 권한이 주어지는 것이다.

그는 자신이 발굴해 낸 인물에게 클럽의 지도자들이 왜 이러한 행동을 하는지 궁금했다. 이렇게 은밀하고 비밀스럽게 일을 진행한다는 것과, 자신이 알고 있던 클럽의 행보에 어울리지 않는 방식이라는 점이 한 편으로는 못마땅하기도 했다, 하지만 분명 무언가 중요한 일이 벌어지고 있다는 것은 눈치챌 수 있었다.

창우는 이 일이 어떻게 진행되는지 계속해서 파악하려 했다. 그래서 그는 그 명함을 가지고 다시 어제의 그 버스 정류장으로 갔다.

그런데 거기에는 어제 봤던 그 낯선 남자가 조금은 멀리 떨어진 곳에 서 있었다. 이내 남자와 창우가 눈을 마주쳤지만, 남자는 담담하게 미소를 지으며 창우에게 눈인사를 건넸다.

도진이 버스 정류장에 나타났다. 그리고 곧 버스 한 대가 이쪽으로 다가오고 있었다. 그것을 본 창우는 주머니에 들어있는 어제의 그 명함을 만지작거리며 어색한 몸짓으로 도진보다 먼저 버스에 탑승했다. 그러자 이 장면을 보고 있던 낯선 남자는 그 어떤 행동도 하지 않은 채 그저 창우와 도진의 모습을 번갈아 보더니, 조금은 인위적인 미소를 크게 지어 보이고는 천천히 자리를 떠나기 시작했다.

창우는 도진이 항상 앉는 자리에서 보이도록 손에 쥐고 있던 명함을 재빨리 바닥에다 떨구고는, 모른 척 근처의 다른 자리에 앉았다. 그리고 도진의 행동을 주시했다. 예상한 대로 도진은 그 명함을 거부했다.

그리고 이와 비슷한 행동을 몇 번이나 반복한 끝에 도진의 손에 그 명함이 쥐어지도록 만들 수 있었다. 창우는 그렇게 누군가가 해야 할 일을 대신 성공시켰고, 클럽의 계획 진행에 도움을 주었다. 하지만 그랬다고 해서 그의 궁금증이 풀리지는 않았으므로, 그 추적은 계속될 예정이다.

얼마 후, 과학과 공학에 재능이 있지만 여러 가지 이유로 세상으로부터 외면받아 두각을 나타내지 못하고 있던 천재 17명이 태평양의 어느 작은 섬에 모였다. 그 섬은 지도에도 나타나 있지 않은 아주 비밀스러운 곳이다.

그로부터 3개월 정도가 더 지났다. 그리고 창우가 활동하던 클럽에 문제가 생겼다. 갑작스럽게 해체가 되어 더는 모이지 않게 된 것이다. 심지어 본거지까지 폐쇄가 되었고, 그 외 모임 장소로 활용하던 세계 각국의 아지트까지 모두 문이 잠기거나 매각되었다. 발신자 표시가 없는 편지를 통한 공식적인 통보 하나로 모임 장소는 물론이거니와 모든 일정이 완전히 막혀버린 것이다.

정말 순식간에 일어난 일이라 창우는 얼떨떨했고, 무슨 일인지 알아보려 해도 회원들끼리는 개별 연락이나 만남을 가질 수 없다는 회칙에 따라 서로의 소재를 알 수 없었으므로, 그 누구와도 연락을 취할 수 없었다. 굳이 방법을 찾자면, 그동안 나누었던 대화거리를 단서 삼아 길이나 특정 건물에서 우연히 회원을 마주치는 것이 유일한 방법일 수 있다.

그 우연을 위해, 그리고 모임이 폐쇄된 이유 하나를 찾자고 전 세계를 누비고 다닐 수도 없는 노릇이다. 그런다고 해도, 창우의 클럽 내부 인맥 정도로는 갑작스러운 해체의 원인을 알거나 말할 수 있는 회원은 드물 것이고, 그 이유를 안다고 한들 무슨 소용이 있을까. 그는 그저 일개 회원이었을 뿐이다.

그때 창우는 한 가지 간단한 수를 생각했다. 그것은 바로 도진을 이용하는 것이다. 분명히 이 상황과 도진의 비밀스러운 일이 서로 연관이 있으리라고 본 것이다.

얼마 후, 창우는 도진이 외국으로 떠났다는 사실을 어렴풋이 알게 되었다. 하지만 그로서는 도진의 행방을 정확히 찾는 것은 불가능했다. 그래서 도진을 이용해 무언가를 알아내겠다던 창우의 계획은 일단 포기할 수밖에 없었다.

그로부터 시간이 흘러, 창우는 우연히 도진의 귀국 사실을 알게 되었다. 그리고 풍부한 인맥을 이용해 도진의 앞날에 대한 정보를 입수한 후, 그와 같은 대학교에 입학했다. 그리고 그가 수강하는 강의를 일부러 찾아 들으며 그에게 접근했다.

하지만 창우가 아무리 호의를 내비쳐도 도진은 그에게 마음을 열지 않고 경계를 했다. 그래서 창우는 무슨 일이 어떻게 진행되고 있는지 전혀 알 수가 없었다. 작정하고 그 일에 대해 물어보면 오히려 더욱 밀어낼 것이 뻔해 보였다.

그리고, 도진이 그런 창우를 선택해 자신이 해야 할 일에 이용한 것이다. 서로가 서로를 이용한 셈이 되었다.

뜬금없이 나타난 근석

창우의 과거 이야기를 도진은 심각하게 들었다. 그 후 잠시 정적이 흘렀고 도진이 그것을 깼다.

“탈출하기 직전에 동료 두 명이 네닉 시스템을 망가트리려 했어. 교묘한 방법을 쓰더군. 하지만 어설펐어. 내가 재빨리 눈치를 채고 일단 바로 잡았는데….”

“그럼 그들은, 여기에 있어?”

“있을 리가 있나. 여기로 오기 직전에 동생 진성과 함께 그들을 제압하고 구석에다 묶어놨지. 아마 지구와 함께 끝장났을 거야. 그런데, 만약 그 둘만이 아니라, 배신자가 더 있다면?”

“그러면 심각한 문제가 되겠군.”

“그래서 나는 얼마 전 일어난 사건들이 어떤 배신자의 소행이라고 생각해. 여기에는 지구에서 온 우리 말고는 없으니까. 그런데 탈출하기 전 묶어두었던 배신자 중 하나가, 네가 차고 있던 목걸이의 장식과 같은 것을 가지고 있었으니 너를 의심할 수밖에 없지."

"그럴 만도 해. 나였어도 의심은 해봤을 거야. 그런데 분명히 나는 아니야. 나는 네가 진행하던 일을 구체적으로 알지 못했어. 내가 한 일이라고는 너를 추천하고, 무언가 특별한 일을 하기 시작했다는 것 밖엔 눈치채지 못했지. 그러니 내가 너에게 우연을 가장해서 접근한 것이지. 내가 망치려 작정을 했다면 애초에 망쳤겠지."

"의도와 우연이 적절하게 겹쳤군. 이런 걸 인연이라고 해야 하는 건가."

"어쨌든 네가 본 것이 맞다면, 너의 배신자들은 내가 속해 있던 클럽의 회원이었거나, 어떤 식으로든 클럽과 엮였던 것은 맞을 거야. 그런데 어째서 배신을 한 것일까? 처음부터 그런 목적으로 잠입을 했던 것일까. 그리고 어쩌면…. 클럽이 해체된 원인이 그들일 수도 있겠군."

"지금 현재 중요한 것은 우리 중에 또 다른 배신자가 있는지, 있다면 또 어떤 일을 저지를지 알아내는 거야."

"쉽지 않겠어. 클럽의 상징은 신성한 것으로 여겨졌어. 종교적 모임은 아니었지만 말이야. 그 상징은 신이 내려준 문양이라는 말이 있었거든. 심지어 어떤 회원은 신이 선택한 사람들만 모이는 클럽이라는 미신까지 만들어낼 정도였으니. 어쨌든 클럽 내에서는 그 상징을 신성시했고, 그것이 있어야 본거지와 아지트에 출입할 수 있었으니, 여러 가지 이유로 습관적으로 소지하고 있었을 거야.

하지만, 지금 이곳에는 모두 알몸으로 왔잖아. 그러니 누가 클럽의 회원인지, 또는 관련이 있는 자인지 정확히 찾기는 어렵고, 이미 둘이 걸려든 마당이라면 목걸이를 새로 만들었다고 해도 감출 거야. 즉, 찾기가 어렵다는 말이지. 게다가 클럽 회원이 아니라 그와 전혀 상관없는 사람이 어떤 목적으로 그러는 거라면?"

"혹시 클럽 회원들, 서로 얼굴을 알아볼 수는 있어?"

"회원들의 수가 적지는 않았지만, 모임 때마다 한자리에서 볼 수 있던 사람들은 소수에 불과했어. 핵심 지도자들은 가면으로 얼굴을 가리고 있어서 알 수가 없었고. 모든 회원을 다 만나본 것도 아니기에 얼굴로 식별하는 것은 소용없는 일이야."

"그렇군. 그러면 어쩌지."

"모른 척 탐색을 해야지. 주변에 믿을 만한 사람은 누가 있지?"

"일단 지금은, 동생 진성이, 그리고…. 너. 네가 정말 바른대로 말한 것이 맞다면 말이야."

"내 말은 모두 진실이야. 조금이라도 꺼림칙한 부분이 있다면 지금 해명을 해주겠어."

도진은 창우가 했던 말을 곱씹었다. 그리고 몇 가지 질문을 했지만 창우는 조금의 망설임과 논리적 오류도 없이 해명했다.

"일단 믿어보지."

"일단이 아니라, 계속 믿어. 그래야 범인을 찾아낼 수 있어."

"좋아. 그럼 이제 방법을 생각해야겠군."

"아주 기초적인 방법을 써야지. 감시를 하는 거야."

"아직 감시 장치를 제작할만한 시설이 완공되지 않았어. 감시 장치를 장착하려 한다는 것도 이미 범인이 알고 있을 거야. 그렇다면 분명히 교묘하게 피해서 다른 문제를 만들어 낼 텐데."

"네가 모르게 무언가를 한다는 것은 곧 자신의 정체나 목적을 드러내고 싶지 않다는 거잖아. 그 목적이 과연 뭘까?"

"나를 배신한 놈들이 이런 말을 했어. 네닉 시스템을 당장 중단하지 않으면 어차피 계속해서 도전에 직면할 거라고. 즉, 이 세계의 완전한 파괴가 목적일 것이고, 이곳으로 이주한 사람 중에 분명 배신자가 한 명 이상은 포함되어 있다는 뜻이겠지.

아직은 우리 모두를 해치거나 여기 시설물들을 한 번에 부술만한 도구가 없을 뿐이라 이 정도에서 그친 것이지, 만약 그것이 갖춰진다면 제대로 파괴하려 들 거야."

"또는 첨단 기술 공장이 지어지기 전에 몰래 하나씩 망치려 들 거나."

"그렇겠지. 어쩌면 생필품 공장을 파괴한 것은 실질적인 목표에서 눈을 돌리기 위해 유인한 것일 수도 있어. 진짜 목표는 따로 있다거나…."

도진은 그 목표가 무엇인지 짐작이 된다는 듯 잠시 말을 멈췄다.

"뭐가 되었든 조만간 비슷한 일이 또 일어나겠군."

"누구인지 찾아내야 해. 그렇지 않으면…."

누군가가 언제 어떤 방법으로 두 건의 사고를 일으킨 것인지 알 수가 없는 상황에서 둘은 머리를 맞대고 의견을 나누었다. 하지만 이제 갓 원시 시대를 벗어난 터라 단순한 대책 외에는 뾰족한 방법이 없다. 똑같이 생긴 검은색 볼펜에서 손도 대지 않고 파란색

잉크를 가진 것을 찾기란 불가능에 가깝기 때문이다.

일단은 도진, 창우, 진성 이렇게만 그들의 동료인 연구 기술진과 주민들을 감시의 눈으로 바라보기로 했다. 그리고 범인을 찾는 것도 중요하지만, 지구에서의 수준까지 생활 환경을 끌어올리려면 첨단 기술품을 생산하는 공장의 설치가 시급하다. 그래야 배신자가 분명 활동하고 있는 작금의 상황에 최소한의 안전이 보장되기 때문이다. 그래서 첨단 기술품 공장의 착공은 곧장 시작되었고, 셋은 번갈아 가며 현장에 드나드는 사람들을 몰래 감시하는 중이다.

그리고 얼마 후, 첨단 기술품 생산 공장이 완공되기도 전에 예상했던 일이 다시 일어났다. 이번에는 식량 창고가 폭발하며 무너졌다. 식량 창고란 만능원료의 가공을 거쳐 만들어놓은 식량을 대량으로 저장해 둔 공간인데, 그 역시도 쉽게 파괴되거나 불에 타지 않도록 보강을 했음에도 단 한 번에 무너져버린 것이다.

그 소식을 들은. 메이커 안에서 어떤 일을 하던 도진은 함께 있던 연구원과 기술자들을 모두 데리고 급히 뛰쳐나와 현장으로 갔다. 사실 현장을 파악하는데 그들까지 데리고 나올 필요는 없었지만, 그렇게 되므로 인해 메이커 내부가 잠시 텅 빈 상태가 되었다.

식량 창고는 형체도 없이 그 흔적만 바닥에 깔려있고, 그곳에서는 화학약품과 같은 진한 냄새가 나고 있다. 인화, 폭발성 물질은 그 필요에 따라 만능원료를 가공하여 만들 수 있으므로, 누군가가 그 방법만 알고 있다면 그것을 손에 넣는 것은 식은 죽 먹기보다 더 쉬운 일이다.

도진과 소방 담당자들은 급히 남아 있던 불길을 진화했다. 다행히 범인의 행위는 일단 거기에서 멈추었는지 더는 이상한 점이 발견되지 않았다. 그리고 식량은 언제든 다시 제조할 수 있기에 그 폭발이 주민들의 생활 자체에는 큰 영향을 주지는 않는다. 이곳의 모든 사람이 그 사실을 알고 있음에도 범인이 그랬다는 것은, 단순히 이 마을을 파괴하고 인류의 생존을 방해하는 것이 아닌, 다른 목적이 있다고 생각해볼 수 있다.

사건이 빠르게 진화되었음에도, 도진과 그의 동료들은 조금 전 자신이 있던 메이커로 곧장 돌아가지 않고 현장에서 잠시 머물렀다.

그 시각, 사실 메이커 안은 완전히 비어있지 않다. 그곳의 어느 한구석에는 진성이 몸을 숨긴 채로 무언가를 기다리는 중이다. 그리고, 도진과 그의 동료들이 메이커를 떠난 사이, 누군가가 그 안으로 침입했다. 그는 창우이다. 창우를 본 진성은 얼굴을 잔뜩 찌푸리며 어서 숨으라는 손짓을 했다. 그래서 창우는 바로 근처에 있는 테이블 아래에 몸을 욱여넣었다.

잠시 후, 또 다른 누군가가 들어왔다. 외부의 침입자가 들어오리라 예상하고 기다리고 있던 진성은 그를 발견했고, 한 손에는 굵은 밧줄을 들고 조용히 다가가 매섭게 그 침입자를 제압했다.

그 침입자는 진성에게 매우 낯익은 사람이다. 그는 바로 이곳에 이주해 온 직후 막내딸을 잃었다며 진성에게 찾아주길 부탁한 근석이다. 메이커가 이곳의 환경을 최종적으로 구축할 때 어딘가로 사라진 줄 알았던 근석이 지금 이곳에 있는 것이다. 그것도 이 마을의 공장에서 생산된 옷을 입고 신발을 신고서.

진성은 근석을 출입문에서 멀리 떨어진 한 설치물에 묶어놓고 도진을 기다렸다. 잠시 후, 도진이 다시 메이커 안으로 들어왔고, 진성에 의해 묶여있는 근석을 보았다. 도진은 침착한 표정으로 근석에게 다가가 말을 걸었다.

"이곳에서 무엇을 하려고 했습니까?"

왜 시설물을 파괴하려 하는지가 아닌, 무엇을 하려고 했냐고 물었다. 그러자 근석은 묵묵부답으로 일관했다. 그러던 중 테이블 아래에 숨어있던 창우가 이제야 그것에서 빠져나왔다. 그리고 근석과 눈이 마주쳤다.

"조근석…. 아니 당신이 여기는 어떻게…."

근석이 이주에 실패하여 사라진 줄만 알았던 창우는 황당한 표정을 지으며 그를 바라보았다.

도진은 자신이 지구에서 탈출하려던 그때 자신을 위협하던 근석을 알아보았다. 그가 지금 이곳에 있다는 것이 의문이지만, 이미 배신자가 여럿 나타난 데 이어 마을의 시설까지 파괴되고 있자, 자신이 지구에서부터 현재까지의 상태를 완전히 통제하지 못하고 있었다는 사실을 받아들였다. 그래서 근석 역시도 일련의 과정 중 자신이 모르고 있던 어느 틈을 이용한 것이라고 여겼다.

도진은 근석이 어떻게 이곳에 있는지 알아내는 것보다, 현재의 위기에 대한 해결책부터 내기 위해 질문의 우선순위를 바꾸었다.

"당신 이름이 근석이야? 그래, 근석 씨. 이곳에서 무엇을 하려고 했는지 말을 해주면 이 일은 없었던 것으로 치고 넘어가겠어. 말해 봐."

그러자 근석은 한숨을 길게 내쉰 후 응했다.

"난 그 질문에 답을 할 수가 없어."

"어째서지?"

"내 가족들이 그들에게 붙잡혀 있기 때문이야. 내가 일을 제대로 해내지 못하거나 되돌아가지 못하면, 내 가족들이 위험해져."

그리고 근석은 창우를 보며 말을 덧붙였다.

"창우 씨의 여자친구…. 예은 씨, 무사히 이곳에 왔어. 지금 내 가족들과 함께 잡혀있어."

그 말에 창우는 무척 놀라 근석에게로 다가왔다.

"이 마을이 아닌 다른 곳에 있다는 말입니까?"

근석은 고개를 끄덕였다.

"그곳이 어디입니까? 예은이는 지금 어디에 있습니까?"

근석은 고개만 천천히 저었다. 그것은 말해줄 수 없다는 의미이다. 근석의 이동 동선은 그가 직접 말하지 않는다면 밝혀낼 수가 없다. 심지어 이 마을이 아닌, 다른 어딘가에서 지내고 있었다는 사실이 이들에게는 충격적으로 다가왔다.

창우는 근석을 설득하기 시작했다.

"말을 해봐요. 그래야 우리가 도와줄 수 있습니다."

"안 돼. 지금 그가 이곳을 주시하고 있을 거야. 조금이라도 수상한 조짐이 보인다면, 내 가족들은 물론이고 예은 씨까지 해칠 거야."

그 말을 들은 도진이 진성에게 눈빛으로 무언의 의견을 건넸고, 그것을 알아챈 진성은 화가 난 표정을 하고서는 출입문 쪽으로 성큼성큼 걸어갔다. 그러자 그것을 본 근석이 소리쳤다.

"안 돼. 제발…. 나가서 수상한 행동을 보이는 순간 나는 이용가치가 없어지는 거야. 제발 부탁이야. 날 그냥 모른 척 해줘."

그러자 창우가 진성을 막았다. 하지만 진성은 창우의 의견을 따르는 작자가 아니다. 도진이 진성을 보며 고개를 끄덕이자 그제야 진성이 걸음을 멈추었다.

도진이 근석을 보며 말했다.

"당신과 당신 가족들의 안전을 위해서 우리 모두를 위험에 빠트리려는 거야? 참으로 이기적인 인간이군. 당신과 당신 가족, 그리고 그는 여기에 있는 식량과 자원을 훔쳐서 살아가고 있는 것이지? 이제 알았으니 난 식량 창고에 당분간 보초를 세우고, 모든 공장에서 생산되는 물품의 재고를 관리하기 시작할 거야."

도진은 말을 잠시 끊고 근석이 입고 있는 옷을 가리키며 다시 말을 이었다.

"이 옷도 우리 공장에서 나온 것이군. 그럴 수밖에. 여기를 벗어나면 아무것도 구할 수가 없을 테니. 당신이 말하지 않아도 이곳에 몰래 들어와 무엇을 하려 했는지 알겠어. 그리고 누구의 지시를 받고 이런 일을 하게 되었는지도 알 것 같고 말이야."

도진이 말한, 근석에게 지시를 한 상대란 바로 지구에서 탈출하는 과정에 실종된 연구원 셋이다. 아니, 셋 모두인지, 아니면 셋

중 하나인지 알 수는 없으나, 분명 자신의 동료가 확실하다고 생각했다. 곧 그 호칭이 '배신자'로 바뀌겠지만.

이곳에서 메이커의 개념과 존재는 아는 자들이라고는 도진과 그의 동료들밖에 없고, 근석이 이 울타리를 벗어난 곳에서 지내다 온 것이라면 최소한 현재 이곳에서 머무르고 있는 연구 동료들은 아니기에, 그렇다면 이곳에 없는 나머지라는 의미이다.

"당신이 가지고 있는 비밀에 대해 아무런 말도 하지 않는다면, 나는 우리 모두의 안전을 위해 당신을 없애버리는 수밖에 없어. 당신이 이 마을 밖에서 왔다는 사실과, 당신을 사주한 자가 누구인지 대충 짐작이 되니 이 사건을 해결하는 것은 어렵지 않을 거야. 그렇다고 내가 당신의 가족들을 구해주지는 않을 거야."

정말 진심을 담고 있는 것인지는 알 수 없지만, 도진의 말 한마디 한마디가 차가웠고 날카로웠다. 그러자 진퇴양난임을 깨달은 근석이 눈물을 흘리며 도진의 말에 응했다.

"여기에서 서쪽 정방향으로 50km 정도 떨어진 곳, 산 중턱에 있습니다."

근석은 자포자기한 듯 나지막한 목소리로 사실을 털어놓기 시작했다.

"한 명이고, 여자입니다."

"한 명이고, 여자? 그 사람의 얼굴 생김새가 어떻지?"

근석은 진성을 보며 말을 이었다.

"그 사람의 얼굴은 제대로 보지 못했습니다. 항상 어두침침한 곳에 머물렀고, 그녀는 우리와 정면으로 마주하지 않아요. 첫 만남

때는 난리통이라 제대로 보질 못했으니….”

“첫 만남? 그녀를 어디에서 처음 만났지?”

“처음 이곳에 도착했을 때 막내딸이 없는 것을 알아채고, 찾아달라고 저 사람에게 부탁했었는데 거절당해, 나와 가족들 모두가 밖을 돌아다니며 아이를 찾고 있었죠.”

근석은 자신의 팔을 들어 진성을 잠시 가리켰고, 그러자 도진이 고개를 돌려 진성을 잠시 바라보다가 시선을 돌렸다. 아마도 왜 이 사실을 왜 보고하지 않았냐는 질책의 의미일 것이다.

“그런데 갑자기 폭풍이 몰아쳐서 옴짝달싹도 못 하고 바닥에 엎드린 채로 있는데, 누군가가 우리에게 다가와서 따라오라고 하더군요. 그렇게 기다시피 그녀를 따르는데, 근처에 땅이 움푹 팬 것처럼 낮은 지형이 있었어요. 일단 거기에 들어가서 버텼지요. 그녀가 우릴 구해 준 겁니다. 그녀로서는 우리를 구해줬다기보다는 납치해서 써먹기 위한 목적이었겠지만.

그렇게 바짝 엎드린 채로 폭풍을 버티고 있으니, 곧 그것이 멈추고 갑자기 쾌적한 날씨가 되어버리더군요. 그런데 그녀는 사라지고 없었죠. 그리고 그때부터 딸아이를 다시 찾으러 다니기 시작했지만, 찾지 못해서…. 하아….”

근석은 손으로 얼굴을 가린 채 잠시 그렇게 머문 후 말을 이었다.

“곧 그녀를 다시 만났는데, 그녀가 우릴 어딘가로 데려갔죠. 그게 그 산이었습니다. 산이라고 하는 게 맞나 싶지만, 어쨌든 생김새는 산이긴 하니까. 그리고 그녀가 말하더군요. 악을 물리쳐야 하니 자신을 말을 따르라고. 난 그녀가 우릴 해코지라도 할까 봐 그 말을 거절할 수 없었죠."

근석이 말을 잠시 멈추더니 창우를 바라보며 다시 이었다.

"거기에, 예은 씨도 있었지."

예은은 가장 마지막으로 탈출 시도를 했었는데, 시스템에서 발생한 몇 가지 문제로 먼저 출발한 다른 사람들보다 더 긴 시차로 목적지에 도착한 것이다. 이주에 실패한 것이 아니다.

창우가 그 말에 반응하려 하자, 도진이 가로채듯 근석에게 물었다.

"악? 그게 무슨 말이지?"

"나도 몰라. 아마 당신네를 의미하는 거겠죠. 그러고 나서 손으로 굴을 파라고 시키더군요. 그리고 언젠가부터 얼마 동안은 그 사람이 어디선가 이상한 음식과 옷, 그리고 몇 가지 도구들을 가져왔어요.

나중에는 아이들과 예은 씨를 인질로 삼아, 나와 아내에게 그 일을 시켰어요. 그러고는 얼마 지나자 다른 일을 시켰죠. 난 그녀가 시키는 대로 하기 위해 여길 찾아온 겁니다. 물론, 얼마 전에 다른 건물을 폭발시킨 것은 내가 한 일입니다."

"그 역시도 그녀가 시킨 짓인가?"

"아니…. 그건 이곳에 침입하기 위해 나 스스로 생각해 저지른 일입니다. 어쩔 수 없었어요. 사막같이 뻥 뚫린 곳에서 사람들의 눈을 피해, 이곳에 들어와 혼자 무언가를 할 수 있으려면…."

도진이 그가 이곳에서 하려던 일이 무엇인지 구체적으로 물어보려 할 때 진성이 나섰다.

"형, 그냥 보내줄 수는 없잖아. 이놈 처리하고 배신자를 찾아 없애버리자. 간단하잖아."

그 말을 들은 근석이 급히 말했다.

"잠깐! 한 명이 아닌 것 같았어요. 내가 지내고 있는 곳에는 한 명밖에 없지만, 언젠가 분명히 두 사람이 대화하는 목소리를 들었거든. 남자입니다. 아마 나머지 한 명은 이곳 어딘가에 있을 거예요. 내가 알고 있는 것을 다 털어놓은 겁니다. 제발…."

도진은 팔짱을 끼며 곰곰이 생각했다.

"그 말이 진짜인가?"

"물론입니다."

도진은 당장 그 말의 진위 여부를 확인할 길이 없다. 그러자 진성에게 물었다.

"이 사람이 이곳에 처음 왔을 때 가족들과 함께 있었고, 아이를 잃었다며 찾아달라고 한 게 확실히 맞아?"

그러자 진성이 고개를 가만히 끄덕였다. 도진은 근석의 그 말을 완전히 믿었다기보다는 주의하는 차원에서 무언가 조치를 해야겠다는 생각을 했다.

"음…. 그렇다면, 이 마을에 숨어들어 있는 쥐새끼를 찾으려면 이 사람을 이용해야 해. 일단 놔주고 추적을 하는 수밖에."

그러자 진성이 얼굴을 찌푸린 채 응했다.

"무슨 짓을 할지도 모르는데, 그냥 놓아 주자는 거야?"

"지금 거기를 치게 되면 배신자 한 놈을 잡을 수는 있겠지만, 여기에 숨어있는 나머지 배신자를 찾아낼 수 없어. 어설프게 건드렸다가는 쥐새끼가 더 숨어들 테고, 오랫동안 그대로 내버려 두게 돼. 그러면 언젠가는 크게 당할 거야. 어쩔 수 없어."

도진은 근석을 바라보며 말을 이었다.

"거기에서는 겨우 먹고 살 정도로 지내고 있나?"

"겨우…. 아니, 그렇지 않아요. 이곳에 있는 음식과 물품들을 훔쳐서 사용하니, 나름 풍족하게 지내고 있죠."

"이곳에서 당신이 찾으려던 것이, 코어라는 것이지?"

"코어? 그런 건 모릅니다. 그저 이 내부의 구조와 상태를 파악해 오라고 했지요. 일단 오늘 내가 해야 할 일은 그게 전부입니다."

도진이 언급한 코어라는 것은 이곳을 유지할 수 있는 에너지의 원천이자 핵심이다. 그것은 어느 특별한 위치에 존재하는 것이 아니라, 메이커 자체가 그것이다. 도진은 근석을 믿을 수 있을지 확인을 해보기 위해 그것을 물어본 것이다. 만약 그렇다고 했으면 근석이 거짓말을 하고 있다는 근거가 된다.

"근석 씨. 일단 당신은 즉시 원래 있던 곳으로 가서 시킨 일을 성공한 것처럼 꾸미세요. 그 뒷일은 우리가 알아서 할 테니. 그리고 이곳으로 올 때마다 무슨 일이 어떻게 꾸며지고 있는지 털어놓으면 됩니다. 그러면 기회가 왔을 때 당신과 당신 가족을 모두 구출해 줄 것입니다. 만약, 지금 우리의 대화가 새어나간다면 나는 당신에게 몹쓸 짓을 해야 합니다. 무슨 말인지 잘 이해하셨길 바랍니다."

근석은 잠시 망설이는 모습을 보이더니 그러겠다고 답을 했다.

"이중 첩자가 되라는 말이지요? 알겠습니다."

하지만 그의 그런 모습이 조금은 수상해 보였다.

그렇게 심문을 끝낸 도진과 그 일행은, 잠시 후 근석을 내보냈다. 그리고 모두는 혹시 근처에서 이곳을 지켜보고 있을지도 모를 배신자들의 눈을 피해, 깊은 새벽 시간에 메이커를 빠져나왔다.

한동안은 근석이 도진에게 배신자들의 상황을 수시로 알려왔다. 도진과 창우, 진성 모두는 일단 그의 말을 받아들였다.

적의 은거지와 텔레포트의 발견

도진이 근석과 마주한 후 1개월이 지났지만, 배신자를 잡는 일은 도무지 진척되지 않고 있다. 배신자가 무언가 더 대범한 일을 벌일 거라고 예상했지만, 근석에 의한 두 번의 폭발 사고와 그가 메이커 내부로 침입한 이후로는 그 어떤 일도 일어나지 않고 있다. 그저 근석과 그의 아내가 새벽에 몰래 마을을 찾아와 식량을 비롯한 몇 가지 물품을 훔쳐 가는 것이 전부이다.

도진과 진성, 창우는 그들의 그 행동을 알고 있지만, 모른 척하는 중이다. 숨어있는 배신자까지 찾아내 한꺼번에 동시 소탕하기 위해, 근석을 미끼로 사용하고 있는 것이다.

하지만 예상과는 다르게 배신자들의 행동이 고요하다는 것이 의문이다. 만약 이 마을의 파괴와 인류의 제거가 목적이라면, 사회 체계가 완전히 굳혀지고 첨단 기술 시설 등이 발전하기 전에 일을 저질러야 그들로서는 부담이 덜 할 텐데, 전혀 그러지 않고 있다. 그 때문에 오히려 도진은 초조해지고 있다.

그리고 철저히 적을 속이기 위해, 50km 밖의 산 중턱에 있다는 그들의 거주지 근처에 도진과 진성, 그리고 창우는 얼씬도 하지 않았고, 주민들 역시도 현재는 거기까지 나갈 일이 전혀 없다.

창우는 예은을 만나고 싶어 한다. 하지만 이 마을에 포함되어 있을 배신자를 완전히 색출해 낼 때까지는 그럴 수가 없다.

그렇게 누군가에게는 평화롭지 않은 시간이, 마을 전체에는 평화롭게 지나가는 중이다.

새로운 세계로 이주한 인간들 모두는, 기본적인 본능과 감각은 지구에서와 똑같이 가지고 있다. 번식 본능 역시도 마찬가지이다.

처음으로 네닉 시스템의 개념을 완성했을 때쯤, 일부 연구원으로부터 인간의 유전체 개조에 대한 의견이 나왔었다. 이주를 위해 신체 정보를 변환시키는 과정에서 특정한 신체 기능에 대한 개선과 개조를 할 수 있었지만, 인류의 유전체를 온전히 남겨야 한다는 최초의 임무에 따라 그러지 않았다.

하지만 그럼에도, 어느 정도 시간이 지났음에도 아이가 잉태되지 않고 있다. 분명 주민들은 지구에서처럼 서로 신체와 감정적인 교류를 정상적으로 하고 있지만, 새로운 생명의 잉태가 전혀 없는 것이다. 연구 기술진은 이 일의 심각성을 인지하고 그 원인을 찾기 시작했다.

혹시 지구로부터 신체 데이터가 전송될 때 그와 관련된 부분 또는 일부 기능이 손상되었는지 그 점을 중점적으로 확인해보았으나, 그러한 부분은 전혀 문제가 없는 것으로 결론이 났다. 도진을 비롯해 다수의 연구원이 이 일에 매달렸지만 도무지 해법이 나오지 않는 것이다.

시간은 그렇게 흘러 지구로부터 탈출한 지 정확히 1년이 되었다. 마을의 기념일이 된 이 날에는 축제가 열렸다. 이날 만큼은 도진을 비롯한 모든 연구 기술진도 그동안의 업무와 긴장감을 잠시 잊고 다 함께 어울려 즐기는 중이다.

현재 도진과 진성, 그리고 창우만이 아는 것을 제외하고는 이 마을에 공식적인 '적'은 없고, 그러한 개념도 희미하다. 평화롭고 풍요로우며 작은 다툼도 거의 일어나지 않고 있는 마을. 그리고 이 울타리를 벗어나면 생명체가 없는 허허벌판일 뿐인 이곳에서 외부의 침입이라는 개념을 대입하는 것은 모순 그 자체이다.

그러므로 공식적으로 대량 무기나 방어 체계는 갖추고 있지 않다. 그런 것들을 마련한다는 것은 오히려 지구에서의 인간들 간 적대적 행위를 떠올리게 만들고, 지금의 평화에 어울리지 않는 어정쩡한 아이템이 될 뿐이다. 주민들이 적이라는 존재를 모르고 평화로운 마음을 가지는 것은 다행인 일이다.

하지만, 이 세계를 다시 위험에 빠트리려는 존재를 알고 있는 도진이, 마을에 숨어들어 있는 또 다른 배신자를 추적하려 해도 관찰되지 않는다. 마을 밖에 있는 배신자와 이 마을에 들어와 있는 배신자가 어떤 식으로 서로 접선하는지도 알 수 없다.

근석은 배신자 둘 중 하나가 마을의 울타리를 벗어난 그곳에 있지 않으며, 이 마을 안에 있을 수도 있다고 했지만, 이 울타리를 벗어나 멀리 나가는 사람은 전혀 보이지 않았다. 물론 아주 가끔 있긴 했지만, 그 경우는 미리 알리고 특정 목적으로 잠시 떠나있는 경우였으며, 여러 명이 항상 함께했기에 특이한 행동을 할 만한 여유는 없었을 것이다.

도진은 침입자를 비롯해 마을 외부를 오가는 모든 사람과 물체를 식별하는 장치와 레이더 감시망을 만들어 둔 상태이다. 물론 그 감시 시설은 다른 용도인 것으로 위장되어 있어, 외부인은 물론이거니와 도진을 비롯한 셋을 제외하고는 누구도 모르고 있다.

그렇게 온 마을이 축제로 들떠있던 중, 마을 울타리 외부의 일정 영역을 감시하는 자동 감시망에 무언가가 포착되었다. 그 당시에 감시 시설에서 일하던 자는 진성이다.

감시망에 포착된 무언가를 확인한 진성은 그저 화면만 보고서는, 근석과 그의 아내가 무언가를 훔치러 온 것이라고만 여겼다. 포착된 그들의 행동 패턴이 그 이전과 다를 바 없었기 때문이다. 그래서 아무런 조치도 취하지 않았으며, 도진에게 별도로 말을 전하지도 않았고, 창우 역시도 그 사실을 알 수 없었다.

그리고 그날 밤, 축제를 즐기던 주민들이 자신들의 쉼터로 돌아간 시각, 마을 울타리를 넘어 누군가가 마을 안쪽을 향해 다가오고 있다. 감시망은 침입자를 탐지해냈으나, 보초를 서고 있던 진성은 의자에 앉아 잠에든 상태이다. 그렇지 않았더라도 아마 지금의 침입자가 근석이라고 여기고 그저 내버려 뒀을 것이다.

이번 외부로부터의 침입자는 이전과는 다른 움직임을 보였다. 이전에는 몰래 식량이나 생활용품, 그리고 몇 가지 산업용 자재들을 가져가거나, 감시 시설에 들어가 있는 보초에게 적의 근황을 알리는 이중 첩자 노릇이 전부였지만 이번만큼은 그러지 않았다. 그 누군가는 식량 창고에도, 마을 안의 공장에도, 감시 시설에도 발을 들이지 않은 채 곧장 메이커로 향했다.

그 시각 메이커 안은 텅 비어있는 상태이다. 그 안 공간의 출입구쯤에 서서 주변을 둘러본 그 침입자는 어떤 목표물을 향해 빠르게 몸을 움직였다. 그리고 도착한 곳에서 그 앞에 보이는, 숫자가 새겨진 손바닥만 한 10개의 키판을 어떤 규칙에 따라 하나씩 눌렀다. 1분여를 그러더니 갑자기 모든 행동을 멈추고는, 커다란 바위를 깔끔하게 가공해 만든듯한 바로 앞의 벽을 가만히 보았다.

그러자, 벽에서 5cm 크기의 정사각형 형태의 수많은 무언가가 일제히 튀어나오더니, 각각 개별적으로 솟았다 들어가기를 반복하기 시작했다. 그것은 마치 TV나 모니터를 확대경으로 확대해 보이는 픽셀 하나하나의 색이 변하는 모습과 비슷해 보인다. 그리고 그는 겁을 먹은 것인지 미소인지 알 수 없는 이상한 표정을 잠시 짓더니 황급히 그 공간을 빠져나갔다.

그리고 잠시 후, 살랑거리며 불던 바람이 초속 30m 정도의 태풍이 몰아지듯 한 세기로 변했고, 한 치 앞도 보이지 않는 짙은 안개와 추위가 찾아왔으며, 처음으로 눈이 내리기 시작했다. 하지만 눈이 내리는 모습은 지구에서처럼 포근함이 있거나 낭만적이지 않다. 그저 휘몰아치는 거센 바람에 휩쓸리는 두꺼운 먼지 같을 뿐이다. 게다가 수분이 언 결정체로서의 그것이 아니라, 어떤 화학 성분이 포함된 작고 가벼운 덩어리이다.

난리통을 인지한 일부 주민들이 잠에서 깨어 창문을 통해 밖을 바라보았고, 1년 동안 보지 못했던 역동적인 날씨의 변화에 지구에서의 추억이 떠올라서인지, 그저 평온한 표정으로 창문을 통해 바깥 광경을 감상하는 중이다. 그럼에도, 몇몇은 갑작스러운 기후 변화를 뚫고 어딘가로 향하고 있는데, 그중에는 도진과 진성이 포함되어 있다. 그들은 짙은 안개와 바람 탓에 방향을 잡기도, 제대로 걸을 수도 없어 평소의 몇 배나 더 시간을 소요한 후에야 메이커 앞에 다다를 수 있었다.

'누군가가 들어왔었군.'

메이커의 출입문은 무겁고 단단한 자재로 만들어져 있어서 여닫기가 쉽지 않기에, 일부러 신경 써서 닫지 않으면 여지없이 틈이 생긴다. 가장 최근에 이곳에서 나간 사람은 도진이고, 도진 외에는 일반적인 이유로 이곳에 들어올 만한 자가 없기에, 그는 침입자가 있었다는 사실을 조금의 의심도 없이 알아챘다.

안으로 들어온 도진과 진성, 그리고 디렉터와 세 명의 연구원은, 약 1시간 전 누군가가 몰래 들어와 조작했던 그 숫자판 앞에 가만히 서, 그 정면의 벽을 구성하는 수만 개의 작은 개체들이 마구잡이로 움직이는 광경을 목격했다. 그리고 이곳에 함께 있는 연구원이 말했다.

"오류일까요?"

도진이 그 말을 받았다.

"누군가 들어와 조작한 것 같군요."

그리고 그가 진성을 연구원들에게서 조금 떨어진 곳으로 자연스럽게 데려가 조용히 물었다.

"감시망에 특이사항은 없었어?"

진성은 차마 잠을 자고 있었다는 말을 할 수 없었기에 대충 얼버무렸다.

"응. 뭐, 특별한 점은 없었, 던 것 같, 은데."

도진은 진성의 그 말투를 듣고 근무 태만을 알아챘지만 이미 엎질러진 물이므로, 그리고 동료들이 그 사실을 알아채면 안 되므로 질책 따위는 하지 않았다.

도진은 울타리 밖에 있는 배신자 또는 이 마을 안에 숨어들어 있는 배신자 중 누군가가 이곳에 들어와 어떤 조작을 한 것으로 생각했다. 침입자 감시용 장치가 있긴 해도, 메이커 주변으로는 그것을 설치하지 않아 찾아낼 수는 없었다.

넓게는 이 우주와 좁게는 이 마을의 환경을 조작하고 설정할 수 있는 핵심 시설인 메이커, 그 안에 마련된 숫자 조작판은 일종의 코드 입력기로, 특정 코드가 입력되면 그것에 맞는 어떤 기능이 작동하게 되는 것이다. 그 코드를 통해 기후를 변화시킬 수도, 인체에 어떤 영향을 줄 수도, 낮만 유지되게 할 수도, 그 반대로 밤만 유지되게 할 수도 있다.

도진이나 그의 연구 동료들이 아니라면 결코 특정 기능을 하는 코드 조합 12자리는 알 수 없다. 마구잡이로 눌러봤자 정해진 코드가 아니면, 메이커의 시스템은 그것을 무시하도록 프로그램되어 있었다. 그렇다면, 누군가가 이 마을의 기후를 변화시키는 코드 조합을 정확하게 알고 눌렀다는 의미이다. 그 짧은 시간에 우연히 누른 자판이 특정 코드와 일치할 확률은 0에 가깝다. 코드를 한 번이라도 잘못 입력할 경우 약 2시간 동안 키 입력을 받지 않게 되어있기 때문이다.

도진의 옆에 서 있던 디렉터가 몸을 움직여 숫자판에 손바닥을 가져다 대 어떤 12자리 코드를 입력했다. 그러자 벽면의 개체들이 잠시 멈칫하는 듯하더니, 그의 손짓에 아랑곳하지 않고 다시 하던 일을 계속하기 시작했다. 그에 디렉터는 고개를 갸웃하더니 다시 무언가를 입력했으나, 메이커의 시스템은 그의 요구를 받아주지 않았다.

그러자 이번에는 도진이 직접 나서 어떤 코드를 입력했다. 하지만 이번에도 메이커 시스템은 정당한 권리를 행사하는 이들의 명령을 전혀 듣지 않았다. 밖에서는 여전히 추위와 태풍, 그리고 가짜 싸라기눈으로 아수라장이 되어가고 있다.

“어째서지? 초기화 코드가 전혀 듣지 않잖아.”

도진은 혼잣말을 한 후, 급히 뒤를 돌아보며 바로 보이는 동료에게 물었다.

"리셋 코드가 281516719013, 맞지요?"

"맞습니다."

"혹시 초기화 코드가 정상적으로 작동하는데 어떤 조건이 걸려 있나요? 내가 알기로는 아닌데."

"캡틴이 알고 있는 게 맞습니다. 초기화 코드는 어떤 경우에라도 인식하도록 프로그램되어 있어요."

"그러니까…. 음…. 메이커가 고장이 난다거나 오류 같은 게 생길 리가 없잖아. 어째서 코드가 전혀 먹히지 않지?"

메이커라는 것은 기계나 전기부품, 금속 따위로 이루어진 장치가 아니다. 고장이라거나 오류라는 개념이 전혀 개입할 수 없는, 이 우주와 한 몸이라고도 할 수 있는 일체형 구성체이다. 단지 인간들이 자신들의 생존 환경을 만들기 위해, 그 거대한 에너지의 어느 한 부분을 미세하게 조절하고 조합할 수 있도록 네닉 시스템을 통해 디자인하고 몇 가지 기능을 설계해 넣어둔 것뿐이다.

도진과 디렉터, 그리고 다른 연구원들까지 나서서 자신들이 알고 있는 다른 코드 몇 가지를 여러 번 입력해보았지만, 전혀 소용이 없었다. 연구원들의 표정은 사나운 개에게 쫓겨 막다른 골목에 도달한 것만 같이 굳었다.

"이럴 수는 없어…."

도진은 막연하게 숫자판과 벽면을 바라보고 있는 연구원들을 뒤로하고, 창우와 진성을 데리고 조용한 곳으로 이동했다. 그리고 지금의 상황을 그들에게 설명했다.

"그렇다면, 지금 이 날씨의 변화가 우연이나 자연적인 게 아니라, 누군가가 메이커를 건드려서 그렇다는 거야?"

"날씨는 무조건 우리가 입력한 대로만 나타나. 아마도 배신자들이 다시 움직인 것 같아."

그러자 진성이 그 말을 받았다.

"조근석 그 자식이 그런 거 아니야?"

"근석은 우리에게 협조하는 사람이잖아. 이런 일이 생기면 자신부터 의심을 받을 텐데, 그렇게 멍청하지는 않을 거야."

"그렇다면, 누가 그런 걸까?"

"어쩌면, 마을 내부에 숨어있는 배신자가 그랬을 가능성도 있어. 메이커를 조작하는 코드를 아는 사람은 나와 몇몇 동료들뿐이야. 근석이 배신자로부터 사주를 받고 이곳에서 어떤 코드를 입력했을 수도 있지만, 만약 그랬다면 자신과 가족들에게 피해가 갈 게 뻔하니, 나나 창우 너를 찾아와서 일렀겠지."

"그렇다면, 코드를 아는 동료를 조사해보면 어떨까?"

"그게…. 특정할 수 없어. 연구원들이 각자 고유업무가 있긴 했어도 전반적인 사항은 다 꿰고 있었으니. 누가 코드를 알고, 누가 모르는지 찾는 것은 아무 의미가 없어. 모른다고 잡아떼면 그만이니까."

"그렇다면 사건이 미궁으로 빠지는군."

"안 되겠어. 이런 식으로 계속 당할 거야. 일단 근석이 머무는 그곳부터 습격해서 배신자를 끌고 와야겠어."

"그런데, 바깥의 난리통을 해결할 방법이 당장은 없어?"

"그 어떤 코드도 메이커가 거부를 해. 이런 경우는 있을 수 없는

데…. 분명히….”

“그럼 어떻게 해야 하지?”

“상태를 보니 아마 발열 조명등도 꺼졌을 거야. 그래서 일단 만능원료를 창고로 최대한 옮겨야 해. 지금 이대로는 며칠 내에 만능원료 언덕이 얼거나 서로 뒤섞여 엉망이 될 테고, 그렇게 되면 식량이나 물건을 만들기가 굉장히 까다로워져. 어쨌든 지금 당장은 이 마을과 자원부터 보호해야 해.”

도진은 이곳에 있는 주민들에게 비상상황임을 알리고 모두 메이커 안으로 모이길 요구했다. 모든 주민이 메이커 안으로 모이자, 가능한 모든 도구를 동원하여 만능원료를 캐어, 이미 만들어져 있던 거대한 창고로 이동시키기 시작했다. 창고는 서서히 들어찼고, 그에 따라 급히 추가 창고를 짓기 시작했다. 거센 폭풍우와 추위 속에서 한 무리는 자원을 옮기고, 다른 한 무리는 창고 건물을 세우는 진풍경이 벌어지고 있다.

그렇게 작업은 계속해서 이어졌고, 도진이 예상한 대로 낮은 오지 않았다. 발열 조명등 자체가 작동하지 않은 것이다.

도진과 연구 기술진은 이 사태를 해결하기 위해 머리를 맞대었으나 뾰족한 방법이 나오지 않고 있다. 메이커는 지구에서 디자인과 설계가 되어 거대한 에너지 뱅크가 터진 직후에 생성된 것으로, 이미 이 우주의 한 부분이 되어있는 상태이므로 이곳에서는 메이커 자체를 어떻게 해볼 수가 없다.

이런 경우에 대비해 모든 기능을 원래대로 되돌리는 초기화 코드라는 것이 설계 과정에서 입력되어 있었으나, 도진이 알고 있는 그 어떤 방법으로도 그 기능을 작동시킬 수가 없는 이상한 상황인 것이다. 아마도 배신자인 것이 분명한 누군가가 고의로 이러한 사태를 일으키기 위해, 메이커의 설계 코드를 미리 조작해두었을 것이다.

아무튼, 도진과 연구 기술진이 직접 해결할 수 없는 일이다. 지구에서 이곳에 온 것처럼, 네닉 시스템을 다시 제작하여 또 다른 우주로 가는 방법 외에는 말끔하게 해결할 수 없다.

다만, 굳이 합리적인 방법을 하나 더 찾자면, 이 사태를 일으킨 범인을 잡아 복구 가능성을 따져보는 것이다. 하지만, 지구에서 루크와 슌스케가 그랬던 것처럼 목숨을 걸고서라도 인류와 그 생존 환경을 완전히 파괴하려는 것이 목적이라면, 그 또한 불가능에 가깝다고 봐야 한다.

기후 변화가 시작된 지 7일이 지났다. 식량을 비롯한 생존을 위한 자원들은 계속해서 증설되고 있는 대형 창고에 축적이 되고는 있으나, 주민들이 매일매일 창고를 짓고 자원을 그곳에 옮기는 일에만 시간과 힘을 쓰기에는 무리가 있다.

게다가 만능원료를 비롯한 지면에 있던 자원이 거센 바람에 다른 물질과 섞여 오염되거나, 어떤 화학 성분을 포함한 싸라기눈에 조금씩 변질되는 등 부작용이 나타나고 있다. 그렇게 되면 이제부터는 원래의 단일 성분으로 걸러내 분리하는 것은 매우 힘든 일이 될 수 있다. 즉, 무한정할 것이라 믿었던 자원이, 단 며칠 만에 아껴 써야 할 자원으로 바뀐 것이다.

도진은 50km 밖에 숨어있다는 배신자를 잡기 위해 정예 공격대를 꾸렸다. 정예 공격대라고 해봤자 자신과 진성, 그리고 창우이다. 도진은 자신의 측근에게조차 아직 배신자의 존재를 알리지 않았다.

그로부터 20시간 뒤, 급조된 원거리 무기와 그저 두꺼운 판을 촘촘하게 덕지덕지 붙인, 임시로 제작한 작은 장갑차 등을 갖춘 세 명의 공격대는 거친 폭풍우를 헤치며 마을의 울타리를 벗어나 서쪽으로 향했다.

울타리 밖 바닥은 진흙탕이고, 중간중간에 지면이 고르지 않은 부분이 많아 나름 훌륭하게 만들어진 전천후 장갑차이지만 전진이 쉽지는 않았다. 게다가 밤이 계속되는 탓에 배신자가 숨어있는 위치가 정확히 어디인지 알 길이 없다. 적이 알아채고 도망갈 수도 있으니 밝은 조명을 사용할 수도 없다. 근석이 동행한다면 조금은 쉬운 일이 되겠으나, 기후가 변한 이후로 근석은 이들의 앞에 나타나지 않고 있다.

그렇게 한참을 전진하며 마을에서 약 50km 떨어진 산의 중턱에 다다랐다. 그리고 배신자가 숨어있으리라 짐작되는 위치에서 장갑차를 멈춰 세우고는 손전등을 켜 수색을 시작했다. 산이라고 해봤자 나무나 풀이 하나 없이 민둥산이므로, 무언가를 찾는 데는 어렵지 않을 것이다.

그리고 오래지 않아 수상한 무언가가 발견되었다. 그것은 동굴의 입구인데, 작은 도구로 애써 만들어놓은 흔적들이 다양하게 있는 것으로 봐서는 누군가가 인위적으로 만들어놓은 것이 분명해 보인다.

이 작전의 리더인 진성은 나머지를 이끌고 동굴 안으로 들어갔다. 짐작대로 동굴 안에는 사람이 지낸 흔적이 있다. 내부는 성인 한 사람이 겨우 설 수 있는 높이에 너비도 그에 맞춰져 있는데, 벽면과 천장을 특수 재질의 점착제를 발라 단단하게 고정한 덕분에 무른 흙더미를 깎아 만들었음에서도 형태가 유지될 수 있는 듯 보인다. 그리고 마을에서 생산된 그릇과 각종 집기류, 옷가지 등도 있다.

하지만 그러한 흔적만 있을 뿐, 내부를 샅샅이 뒤져보았으나 배신자는커녕 근석과 그 가족조차도 없다. 분명 아직 인간의 온기가 느껴지고는 있으나 지금 이 안에는 아무도 없는 것이다.

그러던 중 갑자기, 밖으로 나간 창우가 소리를 질렀다.

"여기 다른 출입구가 하나 더 있어!"

도진과 진성은 밖으로 나와 그가 가리키는 곳을 보았다. 그의 말대로 최초 발견된 동굴 출입구에서 약 20m 떨어진 곳에 다른 동굴로 들어가는 출입구가 하나 더 나 있다. 그것을 본 진성이 오른손으로 공격용 원거리 무기를 세게 쥔 채 잔뜩 경계하며 먼저 그 안으로 들어갔고, 도진이 그 뒤를 따랐다. 그리고 창우는 밖에서 대기했다.

잠시 시간이 흘렀고, 들어간 두 사람이 조용하다는 것은 그 안에 아무도 없다는 것을 의미한다. 그래서 밖에서 경계태세를 갖추고 있던 창우도 안으로 들어갔는데, 그 공간을 본 창우는 아연실색

하지 않을 수 없었다. 그곳에는 둔탁한 금속 덩어리들과 반짝거리는 물질들이 무수히 바닥에 깔려있고, 벽면을 따라 무엇에 썼는지 알 수 없는 생소한 도구들이 빽빽하게 나열되어 있다. 일반적인 생활용은 분명히 아닌 듯 보인다.

도진의 시야에는 두꺼운 책 두 권을 합한 크기의, 그에게는 낯익은 어떤 것이 보였다. 그것은 소형 에너지 생성기이다. 쉽게 말해 고효율 배터리 같은 것인데, 큰 에너지가 농축되어 있었기 때문에 그것으로 어떤 장치든 구동시킬 수가 있다. 그 하나에는 생필품 공장 세 개를 10년 동안 거뜬하게 가동시킬 수 있을 정도의 에너지가 들어있다. 그것은 이곳으로 이주 후 도진이 직접 제작하고 현재 사용 중인 것으로, 그가 분명히 알아볼 수 있었다.

도진은 어째서 이것이 이곳에 있는지 잠시 생각하기 시작했다. 그러고는 소리쳤다,

"어서 마을로 연락해서 모든 사람을 메이커 안으로 대피시켜!"

웬만해서는 큰 소리를 내지 않는 도진의 목소리를 들은 진성은 급히 통신기로 마을에 있는 디렉터에게 연락을 취해 도진의 말을 전했다. 그리고 도진이 이곳에서 얼른 벗어나려 몸을 틀었을 때, 그의 시야에 무언가가 걸렸다. 그것은 어업용 그물처럼 촘촘하게 짜인 망처럼 생긴 희미한 형태의 무언가이다.

그다지 넓지 않은 이 공간의 끝 벽면에 그것이 흐물거리는 모습으로 넓적하게 자리를 잡고 있는데, 아주 미세한 입자들이 일정한 질서를 가지고 나열되어 뭉쳐있는 것이다. 즉, 만져지지 않는 무언가이다.

그것은 멀리서 봤을 때는 투명하게 보이지만, 가까이서 보면 아주 희미하게 그 형태가 보이는데, 도진은 그것을 알아본 것이다. 분명 창우나 진성이었으면 그곳에 무언가가 있다는 것을 전혀 눈치채지 못했을 것이 틀림없다.

그것을 본 도진은 무엇을 깨달았는지, 할 말은 잃은 듯 그것을 잠시 멍하니 바라보았다. 그것은 텔레포트라고 칭하는, 시간과 공간의 거리에 상관없이 목적지로 순간 이동시켜주는 장치이다. 상상 속에서만 존재할 듯한 그 장치가 지금 이곳에 있는 것이다.

도진이 그것을 텔레포트라고 단정 지을 수 있는 이유는 바로, 네닉 시스템의 실체를 본격적으로 제작하기 이전부터 그 장치의 개념을 정립하고 설계했으며, 그 활용성을 제안한 사람이 바로 그였기 때문이다.

그는 지구를 탈출하기 전 네닉 시스템을 설계하던 당시, 지구에서의 구식 교통수단이 아닌 특정 위치로 즉시 이동이 가능한 수단을 추가로 넣기로 제안했다. 물론 초반에는 필요 없는 수단이겠지만, 나중 언젠가 인구가 늘어나고 복잡한 도시로 발전하게 되면 분명 필요한 교통수단이 될 것이다.

하지만 그와 동료들은, 실제로는 그것을 이 우주에 도입하지 않았다. 시공간이 왜곡되는 부작용이 우려된다는 여러 검토 결과에 따라 이 우주의 탄생과 함께하지는 않기로 결정한 것이다. 그런데, 이 우주에는 아직 없어야 할 텔레포트가 지금 그의 눈앞에 나타나 있다.

도진의 머릿속에는 어떤 장면들이 빠르게 지나갔다. 배신자가 텔레포트를 사용해 이곳에서 어딘가로 순식간에 이동하는 모습, 그가 에너지 생성기를 활용해 공격용 무기를 만드는 모습, 그리고 애써 이주해 온 이 새로운 세계가 엉망이 되는 장면들이다.

도진은 잠시 망설이더니 그 텔레포트로 몸을 던졌다. 누가 말릴 새도 없는 갑작스러운 그의 행동에 진성은 가만히 선 채로 눈만 크게 떴고, 이내 그 크게 뜬 눈으로 도진이 사라지는 모습이 선명하게 들어왔다. 그의 형이 순식간에 벽 뒤로 사라진 것이다.

도진은 그저 문이 열려있던 다른 방으로 들어온 것처럼 어떤 공간에 도착했다. 그가 선 곳은 여러 개의 텔레포트가 배치된 분기점이다. 텅 빈 공간에 일정 간격으로 사방에 둘러 설치되어 있는 텔레포트 5개가 다시 나타난 것이다.

그것을 잠시 본 도진은 들어왔던 그 텔레포트를 통해 원래의 장소로 되돌아갔다. 그가 다른 텔레포트를 이용하지 않고 되돌아간 이유는, 만약 이 이후에도 여러 개의 분기점이 반복된다면 자칫 빠져나올 수 없는 미로에 갇힐 수도 있겠다는 생각 때문이었다. 즉, 지금의 이 텔레포트가 함정일 수도 있겠다는 생각이 불현듯 든 것이다.

도진이 다시 되돌아오자 진성은 안심하는 표정으로 그를 바라보았다.

"형, 어떻게 된 거야? 어디로 사라졌다가 나타난 거야?"

"일단, 여기서 나가자."

이곳에는 누군가가 어떤 기술적 작업을 한 흔적이 있고, 마을에서 일정량만 만들어놓은 소형 에너지 생성기가 버젓이 놓여있는데다가, 텔레포트까지 만들어놓았다는 사실에 도진은 소름이 끼쳤다. 텔레포트는 지구에서 네닉 시스템을 통해 만들어진 것이 틀림없는데, 그렇다면 배신자들의 어떤 식으로든 이 세계를 자신들의 생각대로 주무르겠다는 의지가 반영되었다고 봐야 하므로 더 그랬다.

도진은 진성과 함께 굴 밖으로 완전히 벗어났다. 심각한 도진의 표정을 본 창우가 진성에게 무슨 일인지 물었고, 진성은 조금 전 보았던 그 장면을 대략 그에게 설명해주었다.

도진은 지니고 있던 원거리 무기를 손에 쥐고 들어 무언가를 잠시 생각하는가 싶더니, 다시 그 안으로 들어갔다. 이번에는 창우가 그를 따랐다. 그리고 도진이 구석의 한 벽에 그 무기를 겨냥하고 있는 것을 보았다.

"잠깐만!"

창우의 다급한 외침에 도진이 뒤를 돌아보았다.

"기다려봐. 일단 그냥 두는 게 어때?"

창우는 도진이 텔레포트를 무기로 파괴하려는 것을 알아채고 그 행동을 말렸다. 그의 연인인 예은이 텔레포트를 타고 이곳으로 다시 올지도 모른다는 생각 때문에, 그 가능성은 열어둬야 한다.

"왜 그러지?"

"예은, 예은이를 그걸로 찾을 수 있잖아. 그걸 통해 어딘가로 간 것이 맞다면 말이야."

"이것을 없애지 않으면 심각한 문제가 생길 수도 있어. 조만간 분명히 우리를 위협할만한 무언가가 이곳을 통해서 나올 거야. 우리가 네닉 시스템을 최종으로 프로그램할 때 분명 이것의 생성을 제외했어. 그런데, 이게 이곳에 왜 만들어져 있겠어? 네 애인 하나 찾자고 모두를 위험에 빠트리겠다는 생각이야? 그리고 이 자체가 자칫 이 우주 시스템의 정상적인 작동을 방해할 수 있는 굉장히 위험한 장치야."

도진의 그 말에 창우는 아무런 말도 할 수 없었다. 충분히 논리적인 반박이었기 때문이다.

텔레포트는 우주 공간을 구성하는 특정 에너지 물질의 구성과 질서에 영향을 준다. 그것이 실제로 사용된다면 그 수와 사용 횟수에 비례하여 공간 곳곳이 뒤틀리게 되고, 그렇게 되면 우주 공간 전체적으로도 부정적인 영향을 받는 것이다.

아마도, 현재 확장 중인 우주 공간 어딘가에서는 지금의 이 텔레포트로 인해 어떤 문제가 생겼을 것이다. 다만, 이 우주 공간이 만들어진 지 얼마 지나지 않은 당장은 아직 그 영향과 체감이 크지 않을 뿐이다.

지금 당장은 인간들과 그들이 사는 마을에 문제가 없더라도, 충분한 실험과 보완을 하지 않은 상태에서 한 개도 아닌 여러 개, 아니, 수백 개가 생성되었을지도 모르는 지금의 상태는 위험하기 짝이 없다. 도진이 텔레포트를 구상하고 설계까지는 했지만 실제로 그 기능을 발현시키지 않은 데에는 그만한 이유가 분명히 있는 것이다.

창우의 의견을 무시한 도진의 주장은 실현되었다. 아주 빠른 속도로 최대 100m 원거리 목표물을 순식간에 얼렸다가 분해하는 무기로, 텔레포트가 생성되어 있던 벽면과 텔레포트의 구성물질을 아주 잘게 분해해버렸다. 그러자 미세한 가루들이 공중에 퍼지거나 바닥으로 떨어졌다.

그 직후 도진과 창우, 진성은 모두 빠르게 마을로 복귀하기 시작했다. 이곳에 자신의 적들이 없다는 것은 곧 마을이 위험하다는 의미이기도 했기 때문이다.

급히 마을에 도착한 후 셋은 공격용 무기를 두 개씩 손에 들고 마을을 헤집기 시작했다. 하지만 정확히 적이 누구인지 알 수 없는 상황에서는 큰 의미 없는 행동이다. 그저 수상한 행동을 하는 자를 탐색하기 위한 행동에 불과하다. 그래서 도진과 진성은 근석이라도 찾아 잡기를 원했다. 기후 변화를 일으킨 장본인이 근석이라는 근거는 없지만, 그가 이 사태를 해결할 수 있는 어떤 단서를 알고 있을지도 모르기 때문에 그라도 찾길 원하는 것이다.

“이제 어쩌지? 발열 조명등까지 꺼진 상태라 수색하기가 쉽지 않아. 강추위와 바람 때문에도 그렇고 말이야.”

창우는 걱정스러운 표정으로 도진에게 말했다. 그러자 도진은 언제나 그랬듯 별다른 표정 없는 얼굴을 하고서는 그 말을 받았다.

“일단 가로등이라도 설치를 해야겠어. 날씨가 이따위라 어차피 밖을 나도는 사람이 없어서 그냥 뒀는데, 아무래도 필요할 것 같군."

메이커가 외부 환경을 엉망으로 만들어놓긴 했어도, 생활에 필요한 에너지 공급은 정상적으로 이루어지는 중이다. 그리고 오염되지 않은 만능원료 역시도 대형 창고에 어느 정도 쌓여있기에, 당장은 공장을 가동하거나 여러 가지 용품을 제작하는 데는 문제가 없다. 하지만 어딘가에 있을, 알 수 없는 적으로부터 어떤 방해 공작이 있을지 알 수 없으니 마음 편하게 무언가를 할 수는 없는 상황이다.

결국 도진은 배신자라거나 범인 또는 위험인물을 찾아내려는 수색을 잠시 접어두고, 자신의 동료인 연구 기술진을 한자리에 모아 기후 변화와 예상할 수 없는 앞으로의 위협에 대한 대책을 마련하기 시작했다.

지금 이곳에서는 지구와는 비교할 수 없는 정도로 고도화된 기술제품을 빠르게 만들어낼 수 있는데도, 도진은 꼭 필요한 것을 제외하고는 최대한 그것을 미루려 했다. 그것은 그저 기술 첨단화를 배척하려는 단순한 이유는 아니다. 만약 고도화된 기술 집약 제품을 만들어낸다고 하더라도, 내부의 적이 그것을 나쁜 용도로 활용하면 그 자체가 위험하기 때문이다. 도진은 적의 은신처를 다녀온 후 그것을 깨달았다.

도진이 밝히기 전까지는, 기후 변화가 배신자에 의해 이루어졌다는 사실을 대다수 사람은 알지 못하고 있다. 그랬기에 근본적인 해결책이 나타나지 않은 채 그저 이 오류에 대한 의문만 가중되고 있는 것이다. 그래서 도진은 한 가지 꾀를 보태 이 상황에 대해 모두에게 공개했다.

“누군가 내부의 적이 이 짓을 꾸민 것 같습니다.”

“아니, 그게 누구입니까?”

“먼저, 4번, 아니, 이제 우리 동료로서의 자격이 없으니까 그냥 이름으로 칭하죠. 루크와 슌스케입니다. 그들은 네닉 시스템을 망가트리려 교묘하게 수작을 부렸습니다. 지구에서 시스템의 실 가동 중 문제가 생겼던 건 모두 그들의 짓이었습니다.”

그러자 연구 기술원들이 서로의 얼굴을 바라보며 술렁거렸다.

“루크와 슌스케는 자신들을 희생해서 인류를 구하겠다고 봉사하던 멤버들 아닙니까. 그게 확실합니까? 믿지 못하겠습니다.”

“확실합니다. 그들에게 직접 들었어요.”

“어째서…. 어째서 그런 짓을….”

“그 근원적인 이유는 나도 정확히 모릅니다. 그들에게 인류를 구원한다는 의미는 살리는 것이 아닌, 없애는 것이었습니다. 구원이라는 단어를 자신들의 행위에 가져다 붙여서, 결국 인류를 그 기회에 사라지게 하는 것이 그들의 목표였습니다. 그것에는 분명 무언가 숨겨진 이유가 있는 듯 보였습니다. 그게 무엇인지는 그들의 입에서 꺼내지 못했지만.”

“이런…. 정말 당황스럽군요. 그건 그렇고, 그들은 이곳에 오지 못했는데, 지금의 이 일은 누가 한 짓입니까.”

“네닉 시스템을 이용했지만 이곳에 무사히 오지 못한, 이주에 실패한 동료가 세 명이 있죠. 그들 중에 있습니다. 그리고 그는 마을

밖 어딘가에 있습니다.”

도진이 지금 이 마을 안에 있을 내부의 적을 밝히지 않고 마을 밖에 있는 외부의 적만 확신하듯 말한 것은, 혹시 여기에 있을지 모를 마을 내부의 적이 방심하도록 만들기 위해서이다. 그리고 도진은 근석과 그 주변인들의 존재까지는 공개하지 않았다. 비록 근석의 행보에 완전한 믿음이 가지는 않지만, 일단은 이중 첩자 노릇을 하는 근석까지 이 자리에서 떠벌려 그의 이용가치를 떨어트릴 필요는 없기 때문이다.

도진의 그 말에 장내는 크게 술렁였지만, 그는 아랑곳하지 않고 말을 이었다.

“그리고 그들의 은신처를 찾아내 급습했습니다.”

“은신처를 찾은 겁니까? 그래서 결과는요?”

“그곳에 사람은 아무도 없었고, 대신…. 우리가 만들었던 몇 가지 물품들과 텔레포트가 있었습니다.”

“텔레…. 포트라고요? 텔레포트? 아니, 그건…. 시험용 코드만 만들어두었었지, 실제로는 생성하지 않기로 한 것 아닙니까.”

“그랬죠. 그러나 생성이 되어있습니다. 제가 직접 확인을 했어요. 게다가 텔레포트 분기점까지 만들어져 있었습니다. 아마 우리의 배신자 중 누군가가 몰래 텔레포트 생성 코드를 넣어 이곳으로 전송한 것 같습니다. 제 생각엔 숀스케일 가능성이 커 보입니다. 공간 설계의 실무는 그가 주도했었으니까요. 지금 활개 치고 있는 적은 텔레포트로 여기저기 이동 중일 겁니다. 그것이 어디에 더 생성되어 있는지, 몇 개가 더 있는지는 알 수 없습니다.”

“그렇다면 그 텔레포트를 먼저 조사해서, 어디로 어떻게 연결되어 있는지 파악부터 하면 되지 않을까요.”

“지금은 안됩니다. 발견한 텔레포트 종단은 위험할 수도 있겠다는 생각이 들어 즉시 파괴했습니다.”

그러자 연구원 몇몇이 고개를 끄덕이며 동의한다는 표현을 했다. 그리고 도진이 말을 계속 이었다.

“알 수 없는 적들이 메이커로 기후를 바꿔놨습니다. 우리가 알고 있는 코드로는 정상으로 되돌릴 수가 없습니다. 적이 미리 프로그램해둔 것에 당한 겁니다. 그리고 우리는 현재 이곳에 남아 있는 적이 정확히 누구이며 어디에 있는지 알 수 없습니다. 그렇다면 제 생각에, 이 문제를 해결할 대책은 단 한 가지입니다.”

모두는 아무 말도 하지 않고 도진의 입만 바라보았다.

“네닉 시스템을 다시 만들어, 이곳을 버리고 또 다른 우주로 가야 합니다.”

그 말에 몇몇은 고개를 저었고, 몇몇은 탄식을 냈고, 또 몇몇은 얼굴을 찌푸렸다. 하지만 소수의 긍정적인 표현을 하는 연구 기술원도 있다.

”캡틴. 하지만…. 이곳은 지구와는 달라서, 지구에서의 그 설계로는 안 되잖아요. 완전히 새로 시작을 해야 하는데….“

”압니다. 하지만 이곳에는 지구에서보다 훨씬 질 좋은 자원과 제작 환경이 있으니, 지구에서보다 훨씬 수월할 겁니다. 제 생각엔 지금의 인원 전체를 99.9% 성공 확률로 이주시킬 수 있어요. 지구에서처럼 시설물을 숨겨야 할 필요도, 전력의 한계를 고민해야 할

필요도, 시뮬레이션할 필요도 없습니다. 지구에서 했던 작업과 시간, 자원을 20% 정도만 사용한다면 충분히 가능하죠."

연구원들끼리 찬성과 반대로 나뉘어 조금은 격한 느낌의 토론이 시작되었으나, 반대의 견해에서는 뾰족한 해결책이 나오지 않았으므로 찬성으로 표가 기울었다.

도진이 이 시점에서 네닉 시스템 두 번째 제작품, 즉 '네닉 시스템 2호'를 언급한 이유는, 진심으로 다시 다른 우주로 떠나기 위해서만은 아니다. 다른 이유 하나가 더 있다. 바로 적들을 자극하여 수면 밖으로 끌어내기 위해서이다.

네닉 시스템 2호를 만들기 시작한다면, 새롭게 만들어지는 세계를 파괴하려고 애써 숨겨둔 적들의 계획이 완전히 무산된다. 그러면 적들은 어떤 방식으로든 새롭게 제작되는 네닉 시스템을 흔들어놓으려 시도할 것이다. 도진은 그것을 예상하고 그들을 붙잡을 장치를 해 둘 것이기 때문에, 적이 네닉 시스템에 해를 입힐 어떤 시도를 한다면 도진의 덫에 걸려드는 것은 시간문제이다. 아무것도 모르고 당한 지구에서와는 다른 양상이 될 거라는 것이 그의 생각이다.

지구에서의 자원의 한계와 첫 경험이라는 요인으로 인해 조금은 어설펐던, 그리고 적에게 무방비로 노출되어 엉망이 된 이 세계를 버리고 새로운 세계로 가는 것이 현재로서는 완벽한 솔루션이 되는 것이다. 어쩌면 모두에게 전화위복이 되어 더 완벽한 생존 환경을 꾸릴 수 있게 되는 효과도 있다.

결과적으로 모두는 도진의 의견을 받아들였다. 하지만 창우는 그렇지 못했다. 예은을 찾아야 한다는 숙제가 남아 있기 때문이다. 네닉 시스템 2호를 제작해 또 다른 우주로 떠난다고 해도, 예은이 직접 나타나 그녀의 신체 데이터가 다시 확보되어야 그녀도 함께 이주할 수 있다. 만약 그전까지 예은을 찾지 못한다면 정말로 다시는 못 만나는 것이 된다. 그리고 도진은 그런 창우를 위해, 일단 별도의 수색팀을 구성해주었다.

그렇게 네닉 시스템 2호의 제작이 착수되었다. 원활한 부품 생산과 시스템 제작을 위해 주민 대부분이 동원되었고, 목표 기간은 착수 시점으로부터 최대 3개월로 정해졌다.

그리고 오래지 않아 네닉 시스템 2호의 제작을 위한 거대한 규모의 시설과 구조물 등이 완공되어, 마을 전체가 거대한 공장과 연구 시설이 되었다. 그로 인해, 이주 초반에는 따뜻한 느낌이었던 마을이 기후 변화까지 더해져, 흙색과 금속 빛으로 가득한 차가운 느낌으로 변했다.

창우가 예은을 찾기 위한 수색용으로, 고성능 비행체가 그 시설에서 먼저 만들어졌다. 그것은 창우에 대한 도진의 성의이다. 물론 적을 찾아내는 용도로도 쓰일 예정이다.

창우와 주민 8명은 예은을 찾는다는 명분으로 틈틈이, 끝없이 펼쳐진 평원과 산맥을 훑으며 다녔다. 그렇지만 예은은커녕, 그 어떤 생명체의 흔적도 마을 울타리 밖에서는 찾을 수가 없었다. 텔레포트의 존재가 확인된 이상, 어쩌면 구시대적인 수색방법은 아무런 의미가 없을지도 모른다.

그렇게 2개월이 흘러 두 번째 네닉 시스템의 윤곽이 선명하게 나타나고 있던 어느 날. 정식으로 네닉 시스템의 제작자로 참여하게 된 창우는 축구장 2개를 붙여놓은 듯한 크기의 기계 제작실에서 작업하던 중, 잠시 쉬기 위해 밖으로 나왔다. 밖은 여전히 춥고, 어둡고, 불쾌하게 불어오는 바람에 음침하다.

모든 건물과 건물 사이는 외부와 차단된 통로로 연결되어 있어, 외부의 날씨가 어떻든 이동하는 데 영향을 주지 않는다. 하지만 창우는 왜인지 안전한 장소를 벗어나 완전히 밖으로 나간 것이다. 어쩌면 그는 지구에서 칭하던 자연이라는 것이 그리워서, 또는 문득 떠올라서 그랬을 것이다.

공장이나 연구, 작업실 등 가정집을 제외한 모든 구조물과 건물의 내부는 별도로 설치된 조명등으로 언제나 환하기 때문에, 낮과 밤이 교차하지 않은 지 몇 개월이 지난 이제는 모두에게 시간의 변화라는 개념이 흐려질 정도가 되었다.

기분을 전환한다는 핑계로 혼자 밖으로 나와 거센 바람과 차가운 물질을 맞고 있던 창우는 무심결에 하늘을 보았다.

"도화지에 먹물을 부어도 이보다 검을 수는 없을 것 같군."

창우의 사방으로는 금속성 자재로 만들어진 건물들이 빽빽했기에, 몇 개월째 같은 풍경에 지겨워진 그는 차라리 컴컴한 하늘을 보는 편이 더 나으리라 생각했는지 그저 고개를 젖혀 위를 바라보았다.

그렇게 멍하니 위를 바라보던 중, 갑자기 시야에 별똥별 같은 밝은 점이 하늘을 가로질러 빠르게 지나가는 것이 보였다.

"어? 또 보이네."

그것은 언젠가 이곳에서 우연히 보았던 것과 비슷한 형태였다. 그리고 잠시 후, 다시 한번 더 밝은 점이 하늘을 가로지르더니 이번에는 그 점이 점차 어두워지며 완전히 사라졌다.

"저건 뭐지?"

이곳에는 지구에서 보던 것처럼 그 어떤 항성이나 행성, 별 등이 없다. 게다가 그렇게 하늘을 가로지를만한 어떤 물체가 있을 리도 만무하다. 최소한 그가 알고 있기로는 그렇다.

조금 전 본 것을 별 것 아닌 무언가쯤으로 치부해버린 창우는 이제 고개를 내려 잠시 머물다가 다시 작업장으로 향했다. 그리고 그러던 중, 도진과 그의 동료 몇이 복도 맞은편에서 걸어오는 모습이 보였다. 네닉 시스템 제작 프로젝트에 참여하고 있던 창우가 그런 장면을 마주하는 것은 예삿일이기에 그저 가벼운 인사나 모른 척하고 지나칠 수 있지만, 이번에는 달랐다.

"도진, 잘 되어 가?"

창우로부터 조금은 명랑한 태도의 인사를 받은 도진은 덤덤하게 그 인사를 받았다.

"뭐, 알다시피."

"한 가지 궁금한 게 있는데."

그 말에 도진은 조금은 귀찮다는 표정을 잠시 지어 보이고는 고개를 끄덕였다.

"조금 전에 위를 보았는데, 어떤 별똥별 같은 게 하늘을 가로질러 가더라. 뭐, 중요한 건 아닌데, 그냥 그게 뭔지 궁금해서."

그러자 시큰둥하던 도진의 표정이 갑자기 변했다. 그의 표정은 언제나 변화가 적었기에 작은 변화에도 그 느낌이 크게 다가온다.

"별똥별? 구체적으로 말해봐."

"작은 점 같은 빛이 남쪽에서 북쪽으로 빠르게 지나갔다가, 다시 북쪽에서 남쪽으로 휙 하고 이동하더니, 점점 흐려지면서 사라졌어. 이전에도 비슷한 것을 봤어. 이곳에 처음 도착하고 얼마 지나지 않았을 때."

도진의 표정이 심각해졌다. 그리고 주변에 있던 동료들과 대화를 주고받더니 창우에게 말했다.

"그런 현상은 있을 수가 없어. 그리고, 그런 식으로 움직이는 비행체를 제작한 적도 없고."

"그럼 그건…?"

"이곳에 처음 오고 얼마 지나지 않았을 때도 같은 것을 봤다고 했지?"

"맞아. 그때도 봤어."

도진은 아무런 말도 하지 않은 채 잠시 생각에 잠기더니, 창우를 향해 짧은 말 한마디를 던지고는 동료들과 함께 급한 발걸음으로 떠나갔다.

"그 문제를 살펴봐야겠어."

창우는 도진의 표정과 행동으로, 자신이 목격한 그 장면이 심각한 문제라는 것을 순간 깨달았다.

2일 후, 다시 위에서 얼마 전과 같은 빠르게 움직이는 빛나는 점이 발견되었다. 이번에는 도진과 그의 동료들도 맨눈으로 정확히 그것을 보았다. 그리고 곧장 그것을 관찰 및 추적하기 위한 장치가 제작되었고, 그 현상의 정체에 대한 결과가 나왔다.

그것은 텔레포트로 이동할 때 발생하는 어떤 물리적 현상이었다. 그런데 그것이 공중에서 발견되었다는 것은, 적은 지면이 아닌 인위적으로 만들어놓은 대기권을 벗어난 어떤 곳을 공중으로 오가고 있다는 의미이다. 그리고 그 빈도가 잦아지고 있다.

이 결론에 따라, 도진과 연구 기술진은 적이 본격적으로 어떤 행동을 개시했다는 판단에, 네닉 시스템의 제작 계획 일정을 무리라고 생각될 정도로 앞당겼다. 그리고 굳이 안 해도 될, 아니, 오히려 그러지 말았어야 할 일을 추진하게 된다. 그것은 인공지능 로봇을 대량으로 제작하기 시작한 것이다.

지구에서의 그것보다 더 발달한 형태의, 수백 대의 인공지능 로봇이 만들어졌다. 그 하드웨어는 둥근 공 모양의 금속 볼이 아래쪽에 붙어 마치 공 위에서 구르듯 사방으로 빠르게 움직일 수 있도록 만들어졌고, 8개의 팔이 동시에 여러 작업을 할 수 있으며, 지면에서 일정 높이로 뜰 수도 있고, 여러 겹의 강한 합금이 몸체에 붙어 갑옷 역할을 한다.

그렇게 인공지능 로봇들은 인간을 넘어서는 연산과 일정 수준의 학습 능력, 그리고 신체를 가졌는데, 이 로봇들은 단순히 이 마을의 구성원들을 보조하는 역할만 하는 것이 아니다. 주 역할은 적의 군대에 맞서는 것이다. 즉, 전투용이다.

적이라고 해봤자 배신자 동료 두어 명이 될 테지만, 도진은 조금 더 나아간 판단을 했다. 언젠가 이곳을 완전히 파괴할 수 있는 다량의 무언가가 올 것이라는 생각이었다. 적의 은신처에 있던 에너지 생성기와 텔레포트, 그리고 아직 그렇다 할 파괴적인 공격이 없는 것으로 봐서는 적이 무언가를 준비하고 있다는 의미가 될 수 있다.

그리고, 적으로부터 강한 공격체 또는 군대가 쳐들어오리라는 도진의 그 생각은 정확히 적중했다.

적으로부터의 공격

네닉 시스템이 완성되기 7일 전. 여전히 매서운 기후는 유지 중이다.

마을은 SF영화에서나 보던 것처럼 구조물과 건물들이 서로 거미줄처럼 연결되어, 처음의 원시적인 청량한 느낌은 완전히 사라지고 마을 전체가 칙칙함만이 넘치고 있다. 그렇게 된 것은 오로지 적으로부터의 방어와 네닉 시스템의 제작을 위해서이다.

도진과 연구 기술진이 조급하게 제작하고 있던 네닉 시스템 2호는 계획대로 진행이 되어, 앞당겼던 완료 예정일까지 원활히 마무리될 조짐이 보인다. 그러는 동안, 적으로부터 그 어떤 공격도 없었다. 물론 근석이 이 마을을 다녀가는 일이라거나, 내부 적으로부터의 수상한 동태도 없었다.

창우는 예은을 찾기 위해 동분서주하였으나, 그 역시 아무 일도 없었다. 보이지 않는 적이 있다는 것을 제외하면, 어쩌면 굉장히 평화로운 상황이다. 고의로 상대에게 그런 식의 심리적인 압박이라도 하는 것처럼, 적은 좀처럼 그 모습을 나타내지 않고 있다.

도진은, 두 번째 네닉 시스템의 제작에는 자신이 직접 모든 하드웨어와 소프트웨어를 비롯한 모든 것들을 확인하고 검토 중이다. 물론 자신의 동료들이 함께하고는 있지만, 최종 확인은 도진의 손과 눈을 거치는 것이다.

최종 결과물에 대한 접근 권한도 도진과 그의 보조 격인 디렉터만 가졌다. 슌스케와 루크처럼 적대감을 가진 누군가가 시스템을 임의로 조작하여, 이와 같은 사태가 다시는 일어나지 않도록 최대한의 보안 상태를 유지하는 것이다. 그리고 만약 내부의 적이 있다면, 이와 같은 도진의 행보에 발을 동동 구르고 있을 것이 분명하다.

그렇게 네닉 시스템의 완성을 앞둔 어느 날. 진성이 큰 목소리로 소리를 지르며 도진을 찾아왔다.

"형! 형!"

그리고 기계 제작실 한구석에서 쪽잠을 자고 있던 도진이 부스스한 얼굴로 고개만 살짝 들어, 눈을 제대로 뜨지도 못한 채 자신의 이름을 부르고 있는 진성의 행방을 살폈다.

"형! 어서 일어 나봐. 오고 있어! 오고 있다고!"

"뭐가 오고 있다는 거야?"

도진은 조금 전보다는 눈을 더 크게 뜨고는 몸을 일으켜 세웠다. 그러자 그 근처에서 불편한 자세로 잠을 자고 있던 다른 몇몇 연구 기술원들도 그 소리에 이기지 못하고 잠에서 깼다.

"뭔가가 이쪽으로 몰려오고 있어. 공중으로! 일단 기본 방어 준비는 해 두었는데, 형도 어서 확인을 해봐."

도진은 순간 각성하여 눈을 번쩍 뜨고는 몸을 빠르게 움직였다. 언제나 느긋한 그의 몸이 이렇게 급하게 움직이는 경우는 흔하지 않다.

진성은 도진과 몇몇 연구 기술원들을 이끌고 감시탑으로 갔다. 감시탑에 설치된 대형 영상 출력기에는 무수히 많은 파란색 식별 마크가 반짝이며 한 방향으로 움직이는 것이 보였다. 그것은 무언가가 공중을 통해 이 마을로 오고 있다는 의미이다.

지금 공중으로 날아들고 있는 미확인 비행물체들은 자체 발광을 하지 않아, 육안으로는 확인이 되지 않는다. 오로지 감시용 레이더로만 확인되고 있다.

도진은 마을 전체에 비상사태임을 알리는 알람을 울렸고, 마을 울타리 인근 외곽으로는 고주파 에너지장을 둘러, 미확인 물체들이 마을로 진입하지 못하도록 1차 방호벽을 쳤다. 그리고 전투용 로봇들을 공격 준비상태로 바꾸어 대기시켰다.

모든 주민은 집 안으로 들어가 상황을 주시하는 중이다. 그리고 도진을 비롯한 연구 기술진은 다가오는 적들의 구체적인 행위를 파악하고 예상하기 위해 애를 쓰고 있다. 창우도 어떤 역할을 위해 한 장소에서 대기 중이다.

적이 가까워졌고, 이번에는 마을에서 강한 조명을 동시에 켜 공중으로 비추었다. 이제 맨눈으로 그것들이 식별되기 시작했다. 공중으로 날아들고 있는 것들은 낚싯바늘처럼 끝부분이 구부러진 형태의 어떤 모습을 하고 있는데, 그 한쪽 끝부분에는 그에 어울리지 않게 크고 둥근 형태의 무언가가 붙어 있고, 반대편의 끝은 송곳처럼 매우 날카롭게 깎인 형태이다. 그리고 그 수는 대략 300개에 가깝다.

"저게 뭘까? 폭탄일까?"

진성이 특정하지 않은 누군가에게 혼잣말하듯 물었다. 그러자 도진의 주변에 있는 한 연구원이 답했다.

"만약 그렇다면 둥근 부분에 폭발물이 들어있겠군요."

한 연구원이 원거리 물체 식별장치를 사용해, 그중 한 개를 목표로 확인을 시작했다. 그리고 잠시 후, 강한 조명등에 비친 그 공중의 물체 중 하나의 형태와 1차 분석 결과가 영상 출력기에 나타났다.

"외부 장갑의 결이 뚜렷하고, 빛을 흡수하는 것을 보니 HT-32와 유사한 소재로 가공해 만든 것 같습니다. 내부는 그 구성이 확인되지 않지만 무언가가 계속해서 움직이는 듯 보입니다."

그러자 도진이 그 말을 받았다.

"1차 방호막으로 충분할까요?"

"저 소재라면 지금 처져 있는 것으로도 막을 수 있을 겁니다. 다만, 생소한 폭발물이 저 안에 들었다면…. 지금으로서는 장담할 수 없습니다."

날아오는 물체는, 마을을 중심으로 반경 10km, 지면으로부터 약 1km 높이로 둘려 만들어진 방호 에너지장에 닿자마자 직진성을 잃고 바닥으로 떨어지기 시작했다. 그런데, 방호막에 닿은 순서대로 바닥으로 떨어진 그 물체는 잠시 후, 스스로 강하게 진동하며 바닥으로 파고들었다. 그것들로 인해 지면에는 아주 깊은 구멍이 생겨나고 있다.

그것은 평범하지 않은 일이다. 이곳의 지표면은 지구에서의 그것과는 다르게 단순한 충격 따위로는 뚫리지 않을 정도로 단단하여, 물체가 공중에서 떨어졌다고 해서 바닥을 파고든다는 것은 일반적으로 있을 수 없는 일로 치부될 정도다.

도진과 연구 기술진은, 단순히 폭탄이나 인화성 물질을 담고 있는 공격체일 뿐이라고 생각했던 그것들이 바닥을 파고드는 모습을 보이자, 조금은 당황하여 그저 가만히 그 장면을 지켜보았다.

그 무렵, 누군가가 네닉 시스템의 핵심부가 보관된, 비어있는 연구실로 향했다. 그 누군가는 도진의 동료는 아니고, 일반 주민이다. 일반 주민이 연구실로 들어올 이유는 전혀 없지만, 평소 눈에 잘 띄지 않던 주민 하나가 유유히 연구 시설로 들어선 것이다. 게다가 비상상황이라 주민 모두가 집 안에서 긴장하며 머물러야 할진대, 그녀는 그러지 않아야 할 행동을 버젓이 하는 중이다.

그녀는 드넓은 연구 시설로 들어와 몸을 조금 낮춰 주변을 두리번거렸다. 그리고 인기척이 느껴지지 않는다고 판단하고는 조용히 몸을 옮기며 무엇인가를 찾는 행동을 취했다. 그리고 잠시 후, 그녀의 발걸음은 갑자기 나타난 한 남자로 인해 저지되었다. 그를 막아선 남자는 창우이다.

"이봐요. 여긴 무슨 일로 왔습니까?"

"네? 아…. 저기…. 그러니까,"

그녀는 꽤 당황한 듯 한쪽 눈을 씰룩거리며 눈동자를 좌우로 몇 번 움직이더니, 자신의 오른손을 얼굴 쪽으로 들고는 아무 의미 없는 손짓을 하기 시작했다. 창우는 그런 그녀를 가만히 바라보았다.

그녀가 갑자기 도망가기 시작했다. 창우는 그녀를 뒤쫓았고, 힘들이지 않고 그녀의 몸을 붙잡아 쓰러트렸다. 넘어진 여자는 창우의 얼굴을 주먹으로 힘껏 쳤고, 그것을 맞은 창우는 그 충격에 그녀를 붙잡고 있던 손에서 힘을 뺐다. 여자가 날린 주먹치고는 꽤 매웠다. 어쩌면 창우가 누군가와 싸우는 것에 익숙하지 않아 그렇게 느낀 것일 수도 있다.

창우가 잠시 전투력을 잃자, 그녀는 벌떡 일어나 다시 달아나기 시작했다. 그렇게 그 누군가는 창우를 따돌리고 멀리 도망쳤고, 창우는 결국 그녀를 놓쳤다.

창우는 이 사실을 도진과 진성에게 즉시 알렸다. 그러자 진성이 상대의 인상착의만 듣고는 그녀를 추적하기 시작했다. 사실 누군가가 연구실로 침입하리라는 것은 이미 예상되었던 일이고, 창우가 거기에 있었던 것은 계획된 잠복이었다. 그리고 연구실의 문이 열려있던 것은 일종의 함정이었다.

하지만 창우는 해야 할 일을 제대로 하지 못했다. 침입자를 완전하게 제압해 잡아야 하는 것이 조금 전 그의 임무였지만, 그것을 하지 못한 것이다.

"그런데…. 얼굴이 꽤 낯익었어."

창우는 그 실수를 만회해보기라도 하듯 그에 대한 작은 단서를 도진에게 제공했다. 하지만 이미 모습이 밝혀진 침입자에 대한 그 정도의 정보는 쓸모가 있지는 않다.

"맞아! 그 사람도 클럽 회원이야. 모임에서 한번 본 적이 있어."

파란 눈에 붉은색을 띤 머리카락. 동양인인 창우에게는 흔히 볼 수 없는 특징이었기 때문에 기억에 남아 있다.

그리고 잠시 후, 연구실로 침입했던 범인이 결박되어 감시탑으로 끌려왔다. 그 시각에도 여전히 공중으로는 비행물체들이 날아들고 있고, 다행히 1차 방호막에 가로막혀 바닥으로 우수수 떨어지는 중이다.

도진은 잡혀 온 침입자에게는 눈길을 주지 않고 공중의 비행물체에만 온 신경을 쏟고 있는 상태이다. 결박되어 있는 잡범보다는 공중에서 날아드는 공격체를 막는 것이 당장은 중요한 일이다.

"에너지장이 더 버틸 수 있을까요?"

"대략 180개 정도를 막았는데, 지금 레이더망에 걸린 수는 문제없이 처리할 수 있을 것 같습니다. 다만, 이게 끝이 아니라 곧장 추가 물량이 쏟아진다면 장담할 수가 없을 것 같습니다. 혹시 모르니 지금 2차 방호막의 실행을 준비해야겠습니다."

도진은 심각한 표정으로 고개를 끄덕인 후, 이번에는 잡혀 온 연구실 침입자에게 시선을 돌려 그쪽으로 다가갔다.

"당신 이름은?"

여자는 아무 말도 하지 않았다. 도진은 다시 물었다.

"이름이 뭡니까?"

"엘라."

그러자 도진이 고개를 살짝 갸웃거리더니 말했다.

"루크의 아내이군요. 맞죠?"

여자는 고개를 살짝 끄덕였다. 그러자 도진은 그녀의 정체에 대해 더는 물어보지 않아도 되겠다는 듯 다른 질문을 던졌다.

"지금 외부에서 이곳을 공격하고 있는 사람은 누굽니까?"

"나도 몰라."

그러자 도진이 진성을 불렀고, 진성이 그녀의 곁으로 왔다.

"저기 영상 출력기 보이죠? 뭔가가 계속 이쪽으로 다가오고 있는 거. 뭐, 안 봐도 잘 알겠죠. 다시 묻겠습니다. 저것들을 보내고 있는 자가 누구입니까?"

그러자 여자는 조금 격앙된 목소리로 답했다.

"나도 모른다니까!"

그녀의 그 말이 끝나자마자 어디선가 그녀의 복부로 발길질이 가해졌다. 그러자 그녀는 '윽'하는 단발의 소리를 입으로 내고서는 옆으로 고꾸라져 몸을 최대한 웅크린 채 뒹굴었다. 진성은 다시 자신의 오른 다리를 뒤로 빼 들어 그녀의 허벅지를 강타했다. 그러자 그녀는 괴로운 표정으로 바닥을 뒹굴기만을 반복했다.

그렇게 잠시 기다린 도진은 그녀에게 다시 말을 걸었다.

"누구입니까?"

그러자 그녀는 바닥에 누운 채로 그에 응했다.

"근석, 조라는 자야."

그러자 도진이 아주 살짝 미소를 지으며 말했다.

"그 사람은 우리가 심어둔 첩자야. 아, 물론 당신들의 심부름꾼이기도 하겠지. 조근석 말고, 그와 함께 있는 다른 이가 누구냐고 묻는 거야. 주동자 말이야. 누구야?"

"말했잖아. 근석, 조라고. 이 모든 일을 진행하고 있는 사람이 바로 그 사람이야. 심부름꾼? 훗. 웃기는군."

도진과 창우는 할 말은 잃어 그저 가만히 그녀를 바라보았다. 그러자 그녀는 얕은 신음을 내며 상체를 세워 벽에 기대앉았다. 그러고는 어떤 마음의 짐을 내려놓기라도 한 것처럼 편하게 호흡을 하더니 말을 이었다.

"저건 시작에 불과해. 곧 큰 게 올 거야."

도진은 이해하지 못하겠다는 눈빛으로 그저 말없이 시선을 어느 한 곳에 고정했다. 그래서 이번에는 창우가 그녀에게 말을 걸었다.

"당신 말이 맞다면, 지금 조근석이 있는 곳에 함께 있는 자들이 누구입니까? 함께 있는 사람들을 다 말해보세요."

"조의 어린 아들과 딸, 그의 아내. 그리고 어떤 여자."

엘라는 근석의 일행을 정확히 말했다. 즉, 이 여자의 말은 완전 거짓은 아니라는 의미이다.

창우가 그녀의 얼굴을 가만히 보더니 말을 이었다.

"그런데 당신, 나 알지 않아요?"

그녀가 창우의 눈을 마주치더니 귀찮다는 표정을 살짝 지으며 말했다.

"알지."

"어째서 지구에서 겨우 탈출해온 사람들을 해치려는 것입니까? 우리 클럽이 추구하는 건 이런 게 아니잖아요. 인류를 위해야 하는 거잖아. 도대체 당신의 정체가 뭐야?"

"당신은 행복해? 아니, 행복한 삶을 보내왔다고 생각해?"

여자의 뜬금없는 동문서답에 창우는 얼굴을 찌푸리며 입을 닫았다.

"어째서 인류, 아니 생명체들은 서로 치열하게 경쟁하고 전투를 해야 하는 걸까. 왜 항상 무언가를 원하는 걸까. 생각해 본 적 있나?"

창우는 갑작스러운 철학적 질문에 그 의도를 파악하려 해봤지만, 시간 낭비라고 생각했는지 그녀에게서 시선을 떼고 고개를 돌려, 그에 대한 답은 하지 않겠다는 표현을 했다. 그리고 이 말을 들은 도진은 이마와 입술을 살짝 움찔거리며 무언가를 말하려 했지만 그러지 않았다.

그녀는 창우의 무반응에는 전혀 아랑곳하지 않는다는 듯 말을 이었다.

"여기서 그만둬. 당신들은 해서는 안 되는 일을 하는 중이야!"

그녀가 격앙된 모습을 보이자 진성이 다시 그녀의 곁으로 다가왔고, 진성이 자신에게로 다가오는 것을 본 그녀는 다시 폭행을 당할까 두려웠는지 시선을 내리고 입을 다물었다. 조금 전까지 그렇게 당당한 태도를 보이던 자가 폭력 앞에서 순식간에 신념의 표현을 감춘 것이다.

도진과 창우는 심각한 표정으로 의논을 하기 시작했다.

"조근석이 정말 주동자가 맞을까? 그는 아무것도 모르는 민간인일 뿐이야. 네닉 시스템에 대해서도, 텔레포트에 대해서도, 아니, 그것까지 갈 필요도 없이 당장 메이커 코드의 간단한 규칙조차도 모를 거야. 그런 사람이 저런 것을 제작해서 날려 보낸다고? 그건 있을 수 없는 일이야. 저 여자가 거짓말을 한 게 분명해."

"정말 혼란스럽군. 그녀의 태도로 봐서는 거짓말을 하는 것 같지는 않은데…."

"그렇다면, 저 여자에게 한 가지만 더 물어보고 이상한 소릴 해대면 일단 감금을 시켜둬야겠어."

도진은 여자에게로 다가가 물었다.

"조근석은 자신의 아이들을 지키고 싶어 하는 사람입니다. 그런데 이런 식으로 마을을 파괴해서 얻을 수 있는 게 없어요. 그는 아이들이 인질로 잡혀서 어쩔 수 없이 일꾼 노릇을 하고 있다고 했습니다. 그런 사람이 이 일을 주도하고 있다고요? 앞뒤가 맞지 않습니다. 조금 더 그럴듯하게 우릴 속여보세요. 나는 차원의 통로를 연 사람입니다. 당신의 저급한 거짓말에 속을 사람이 아니에요.

자, 한 번 더 기회를 줄게요. 당신과 함께 하는 사람, 계획되어 있는 앞으로 진행될 일들 전부 털어놓으세요. 그러면 최소한 당신을 괴롭히지는 않을 겁니다. 만약 그렇지 않다면…. 어쩔 수 없이."

도진은 진성에게 고개를 돌려 그를 잠시 바라본 후 다시 여자와 시선을 맞추었다. 그러자 여자는 눈을 질끈 감은 채 고개를 좌우로 몇 번 젓더니 그 말에 응했다.

"내가 지금까지 한 말은 모두 진실이야. 그런데도 거짓말을 하고 있다고 하니, 내가 무슨 말을 한들 거짓이라고 치부할 거잖아. 아니, 오히려 그럴듯한 거짓말을 하면 당신이 믿겠군. 지금 당신은 듣고 싶은 말이 내 입에서 나오길 바랄 뿐이야. 안 그래? 당신은 당신의 지능이 높은 것을 자랑스러워하지. 하지만 언젠가 그 자부와 재능에 스스로가 당할 거야."

"음…. 좋습니다. 지금부터 당신의 입에서 나오는 말 모두 진실이라고 여기겠습니다. 끝까지 들어줄 테니 말해보세요."

그러고 도진은 그녀를 안심시키려는 목적으로 진성에게 말했다.

"여긴 내가 볼 테니, 너는 저 공격체들 방어에 문제가 없겠는지 살펴보고 있어."

그리고 다시 여자를 보며 말했다.

"자, 말해보세요."

여자는 무표정으로 시선을 바닥으로 둔 채 말을 하기 시작했다.

"루크와 슌스케, 그리고 유나와 내가 한 팀이야. 인류 이주 계획을 막아야 하는 것을 목표로 만들어진 팀이지. 도진, 당신은 유나가 누구인지 알지? 당신과 일하던 사람이었으니까."

갑자기 창우가 조금은 흥분하여 그녀의 말에 끼어들었다.

"어째서 막으려 한 겁니까?"

"그 이유는 지금 말해줄 수가 없어. 당신들이 정말로 무사히 살아남게 된다면, 언젠가 그 이유를 이해할 수 있을 거야."

엘라는 도진을 바라보았고, 도진은 그녀의 의견에 동의해주었다.

"알았으니까, 계속 얘기하세요."

"남편 루크와 슌스케는 지구에서 네닉 시스템의 가동을 방해하는 것이 임무였어. 하지만 사람들이 하나씩 성공적으로 우주를 넘어가는 것을 보아하니 제대로 실패한 것 같더군. 하지만, 그럴 때를 대비해서 플랜B를 짜두었지.

그런데, 플랜B는 시도하기도 전에 실패했어. 이곳에 함께 왔어야 할 유나가 지구에서 이곳으로 오는 도중에 사라졌거든. 그녀와 함께해야 이룰 수 있는 작전이었어. 그러니, 나 혼자서 뭐라도 해야 했지. 그래서 몰래 메이커를 조작해 서서히 인류의 씨를 없애 버리려고 한 거야."

"인류를 씨를 없애? 혹시…."

"아, 눈치챘나 보군. 아기가 태어나지 않도록 하는 것이야."

"그럼, 애초에 그런 기능을 하는 코드까지 메이커에 넣었다는 거야?"

엘라는 고개를 끄덕였다. 그러자 도진이 허무하다는 표정을 지으며 두 손으로 주먹을 꽉 쥐었다. 아마도, 그 사실까지도 미리 알지 못했다는 자책 때문일 것이다.

"내가 이곳에 도착 직후 스스로 계획하고 한 일은 그게 전부야."

"그게 전부라고? 그렇다면 지금 기후가 이 모양이 된 것은 뭐지?"

"그건 조가 저지른 일이지."

"당신이 그런 메이커 작동 코드를 그에게 알려줬나?"

"아니, 난 그런 적 없어."

"이왕 이렇게 된 마당이니 모두 사실대로 얘기해. 당신이 알려주지 않았다는 것은 말이 안 돼,"

"정말로 난 그것을 알려준 적이 없어. 난 기후 변화 코드를 알지도 못해. 믿든지 말든지 당신이 알아서 해. 난 사실을 말하고 있는 거니까."

"그건 불가능해. 조근석은 민간인이야. 우리와 함께 한 적이 없는 사람이라고. 심지어 탈출 인원에 포함되어 있지도 않았는데, 갑자기 강제로 쳐들어와서 소동을 부린 인물이야."

"맞아. 탈출 인원에 포함되어 있지 않았다고 하더군. 그런데 어떻게 이곳에 와 있을까? 그것부터 따져봐야 답이 나오지 않겠어?"

도진은 순간 자신 스스로가 미련했다는 생각을 했다. 분명히 자신이 탈출시킨 적이 없는 사람이 이주를 해왔다는 것 자체에서 무언가 수상한 점을 의심했지만, 그것에 대해 구체적으로 알아내지 않은 것이다. 자신의 계획대로 이루어지지 않고 있는 이러한 상황들이, 빈틈없이 치밀하고 꼼꼼하던 도진을 헐겁게 만들어놓고 있다.

"조근석이…. 어떻게 지구에서 탈출한 것이지?"

"그건 나에게 물어볼 일이 아니지. 직접 찾아서 물어봐."

"분명 조근석은 우리의 일을 알지 못했어. 그런데 어떻게 한순간에 이 정도의 일을 할 수 있는지 모르겠군. 그런데…. 당신은 그와 연관될만한 일이 전혀 없었을 텐데, 어떻게 연결이 된 것이지?"

"처음 여기에 도착했을 때, 메이커가 최초로 작동한 날, 조와 그의 가족들이 움직이지도 못한 채 그 변화를 감당하고 있더군. 우연히 그를 발견해서 그것을 버틸 요령을 알려주고는 폭풍이 지나가길 함께 기다렸지. 그게 그를 만난 처음이야. 그리고, 그에게 사정을 들었는데 당신들에게 적개심이 크더군."

이 대목에서 도진은 아무 말도 할 수 없었다.

"나는 처음에는 그가, 탈출 인원에 포함되지 않았다는 것을 몰랐어. 다른 사람들처럼 메이커 안에 몸을 피하지 못한 이유가 단순히 길을 잃어서일 것이라고만 생각했지. 그리고 완벽한 날씨가 만들어졌는데도 그는 메이커 쪽으로는 향하지 않더군. 자신의 잃어버린 아이를 찾아야 한다며 그것에만 매달렸어. 나는 그가 방해되고 귀찮았지만 어쩔 수 없이 보호를 해줬지. 나도 어쩔 수 없는 인간의 피가 흐르고 있는 탓인지, 조가 자신의 아이를 찾으려는 모습을 보고 있자니 잠깐이나마 감성적으로 되더군. 아이와 관련된 일이 아니었다면 난 그를 모른척했을 거야. 어차피 그도 사라져야 할 목표이기 때문이지.

그와 함께 이런 일을 꾸민 적이 없어. 다시 말하지만, 그와 함께 할 필요가 없거든. 내가 그에게 말한 비밀은 텔레포트가 있다는 것밖에 없어. 그가 무슨 일을 어떻게 저지르는지는 나와 전혀 상관없는 일이라는 말이야."

"그렇다면, 지금 밖의 저것들은 어떻게 만들어졌으며, 기후 변화는 어떻게 일으킨 거란 말이야? 당신이 협조했거나 다른 누군가가 조근석과 함께 일을 저지르고 있는 것이 아니야?"

"훗, 나의 말을 믿겠다더니, 당신은 여전히 답을 정해놓고 나의 입에서 듣고 싶은 말이 나오길 바라는 것 같군. 좋아. 당신이 듣고 싶은 답을 해주지. 맞아. 내가 그에게 이 세계를 파괴하는 법을 전수해줬고, 기후 변화시키는 코드도 내가 알려준 것이야. 이제 만족해? 듣고 싶은 답을 다 들었으니 이제 더 물어볼 것은 없는 것이지? 그렇다면 날 가만히 내버려 둬."

도진은 평소답지 않게 약이 오르는 것을 애써 숨기려는 듯 입을 힘주어 다물었고, 눈썹을 반복적으로 씰룩거렸다. 그리고 진성이 다시 다가와 그녀를 가격하려는 듯한 예비 행동을 취했지만 도진이 자신의 한쪽 팔을 들어 그러지 말라는 신호를 보냈다.

이제 창우가 그녀에게 다가가 물었다.

"조근석의 가족 외에 여자 한 명이 이 있었지요? 그 여자는 무사히 잘 있습니까?"

여자는 고개를 끄덕였다.

"그 여자를 구해 오려는데 어떻게 하면 되는지 알려주세요."

"당신들은 나에게 요구하는 것이 너무도 많군. 이래서 인간들은…"

"엘라. 부탁입니다. 나는 당신에게 그 어떤 나쁜 감정도 없어요. 난 그저…. 일단은 저의 연인을 되찾아오고 싶을 뿐입니다. 난 당신의 말을 다 믿어요. 비록 나와 당신은 인류라는 주제에 대한 생각은 서로 다르지만, 그래도 한때는 같은 클럽에 속한 회원이었잖아요. 도와주세요."

여자는 가만히 눈을 감더니 응했다.

"물리적인 이동으로는 이제 그 지점에 접근할 방법이 없어."

“물리적인 이동으로 안 된다면….”

“텔레포트. 텔레포트로 직행해야 그가 있는 곳으로 갈 수 있어. 그런데 아마도 그쪽과 이어지는 텔레포트는 현재 내가 드나들지 못하도록 막아 놓았을 거야. 나와는 의견이 좀 안 맞았거든.”

“텔레포트라…. 그런데, 의견이 안 맞았다는 말은?”

“나는 인류를 완전히 없애버리는 것이 목표이고, 그 목표는 이전도, 지금도 전혀 변함이 없어. 하지만 조, 그자는 그렇지 않아. 그에게는 나와는 다르게 인류 자체를 없애야 할 이유나 명분이 전혀 없지.”

“그렇다면, 정말로 근석이 이런 일을 주도하고 있는 거라면, 지금 우리를 공격하는 건 왜….”

“그는 인류를 없애고 싶은 게 아니라, 지배하고 싶은 거야.”

“여기 이 사람들을 지배하고 싶다? 조근석이?”

창우는 이전 조근석의 모습을 떠올려보았다. 그에게는 당장 몇 명의 팀원들을 제대로 이끌만한 재능조차 없었다. 리더의 면모는커녕 그런 자리에 올라 통솔한다는 욕심도 없던 사람이다. 그저 얄궂고 소소한 욕심만 밝히는 소극적인 사람에 불과했다.

“조근석은 이곳의 수장과 지도층을 없애고 자신이 그 자리에서 모든 것을 재편하고 싶은 거야. 자신과 아이들이 배척당하지 않는 환경을 만들어주고 싶은 것이지. 그는, 지금의 이 상태라면 이곳의 지도자들에게 배척당할 것이라는 생각이 아주 강해.”

그녀의 말인즉, 근석은 도진과 진성, 그리고 창우의 지난 행동이 마음에 각인되어, 이곳에서 자신은 외부인일 뿐이며 어쩌면 이 마을에서 결국은 받아주지 않으리라는 생각이 강했다. 하지만 그것만 이 그의, 이 결과적인 행동의 원인이라고 볼 수만은 없다. 다른 뭔가가 또 있을 수도 있다.

"그는 그러지 못할 겁니다. 우린 곧 다시 다른 우주로 떠날 테니까요."

그러자 엘라가 소리쳤다.

"조! 그 자식만 아니었으면 내가 제대로 할 수 있었는데, 젠장! 그 자식을 진작에 제거했어야 했는데!"

도진은 의문이 들었다. 엘라의 말이 모두 사실이라면, 어떻게 근석이 이곳에서의 만능원료와 같은 자원을 가공하는 기술이나 메이커의 숨겨진 코드를 알 수 있었는가 하는 것들이다.

도진이 결코 알 수 없을 그 의문의 숨은 주인공은 바로, 지구에서 네닉 시스템의 작동을 교묘하게 방해하던 루크이다. 루크는 근석이 자신과 가족들을 이주시켜달라고 하던 당시에 자신의 기억 일부를 근석에게 이식시켰다.

이식 방법은 간단했다. 빠르게 변화하는 자기장을 활용한 어떤 기능을 하는 장치를 머리에 쓴 후 그것을 작동시키면, 그 발신자로부터 수신자에게 현재로부터 약 12개월 정도의 기억이 한쪽으로 주입되는 방식이다. 하지만 실질적으로는 오래된 기억일수록 수신자는 희미하게 느꼈으므로, 현재에 가까운 기억만 유효하다고 봐야 했다. 그리고 그 기억은 주입된 후 약 3일 정도가 지나야 그것을 받은 쪽에서 제대로 발현이 되었기 때문에, 이주를 한 직후에는 그

효력이 나타나지 않은 상태였다.

근석이 메이커의 코드와 만능원료의 가공 방법, 그리고 각종 무기를 제작할 수 있었던 것도 루크의 기억을 가져왔기 때문에 가능했다. 근석이 겪은 그 일련의 과정을 모르고 있는 도진이나 창우는, 지금의 사태를 그가 어떻게 일으켰을지 알 수 없는 것이 당연하다.

공중으로 날아든 정체불명의 공격체들은, 마을을 따라 둘려있던 방어용 에너지장에 막혀 모두 바닥으로 우수수 떨어졌다. 그리고 그것들은 바닥으로 한없이 파고들어 어딘가로 사라지고 있다.

"레이더에 더 잡히는 것은 없어. 지상도 안전해."

진성이 레이더망과 연결된 영상 출력기 몇 개를 빠르게 탐색하더니 도진에게 안전한 상황임을 알렸다.

도대체 어디서 날아온 것인지 그 근원을 아직 알 수 없던 도진은, 적의 본거지를 찾아내도록 연구 기술진에게 급히 요구했다. 적이 공격에 실패했다면 분명 다음이 또 있을 것이기 때문이다.

도진은 일단 네닉 시스템 2호가 완성이 될 때까지는 어떻게든 근석의 공격을 막아야 한다고 생각했다. 공격이 최선의 방어라고, 가능하다면 그 근원을 찾아 타격하여 상대를 무력하게 만들고 싶었지만 당장은 그럴만한 방법이 없다. 적은 우리의 위치를 알고 있지만, 우리는 적의 위치를 알지 못한다는 불리한 상황에 일단은 무조건 방어가 우선이다.

그래서 마을은 점점 더 단단하게 무장되어 갔다. 그리고 적으로부터의 무수한 공격체에 놀란 탓에 전투 로봇 3천 대를 추가로 제작하여 격납고에 배치했다.

로봇은 두 가지 종류가 있는데, 하나는 전투용 로봇, 다른 하나는 기술작업 보조용 로봇이다. 기술작업 보조용 로봇은 기술 로봇이라고 부른다. 둘 다 인공지능이라는 특징이 있으나, 그 수준과 동작 알고리즘은 서로 다르다.

전투용 로봇은 구성과 임무가 단순하다. 명령을 입력받으면 프로그램된 대로 적을 식별하여 방어하거나 공격하는 두 가지의 행동만 하게 되어있다. 자체적으로 학습하여 판단하는 기능은 프로그램되어 있으나, 내부에 숨겨져 실제로는 작동하지 않는다, 만약 그 기능을 전투 로봇이 잘못 사용할 경우, 혹시라도 되려 주인 격인 제작자들에게 위협을 가할까 우려가 되었기 때문이다.

기술 로봇은 굉장히 정교하게 판단하고 움직이도록 제작되었다. 학습과 계산력은 인간보다 훨씬 뛰어나고, 신체 관절의 세밀함과 유연함까지 더해져 인간 대신 대부분의 일을 맡아 할 수 있다. 심지어 네닉 시스템의 제작을 앞당기는 데도 기여 중이다.

하지만 목표를 공격하는 능력과 체력은 부족하다. 지능이 높은 만큼, 만약 높은 내구성과 공격력까지 갖춘다면 이 역시도 되려 제작자들에게 위협이 되기 때문이다. 그래서 기술 로봇과 전투 로봇은 마치 한국어만 할 줄 아는 사람과 영어만 할 줄 아는 사람이 한 곳에 있는 것처럼 서로 통신 프로토콜을 다르게 하여 소통하지 못하게 되어있다.

그렇게, 순조롭지 않은 상황에서도 순조롭게 일이 진행되고만 있는 것처럼 시간이 흐르는 중이다.

다시 닥친 위기

네닉 시스템 2호가 완성을 앞두고 시험 가동에 들어갔다. 이주할 수 있는 다른 우주를 찾아둔 상태로, 이제 본격적인 시스템의 사용을 앞둔 것이다.

근석으로부터 다른 공격은 없었다. 하지만 그 점이 도진의 세력을 더 초조하게 만들었다. 루크의 기억을 물려받았다는 사실을 전혀 모르는 도진과 그의 동료들은, 갑자기 나타나 평범하지 않은 행동을 하는 그의 정체를 가늠할 수 없기 때문이다.

일단 적이 명확해진 상황에서는 주민들을 의심하여 굳이 시간을 낭비할 필요가 없으므로, 도진은 마을에 있는 모두가 아군이라고 간주하여 일을 진행 중이다. 그리고 도진의 적 중 하나인 엘라는, 스스로 탈출할 가능성이 거의 0에 수렴하는 한 창고 안에 감금당한 채 감시를 당하고 있다.

네닉 시스템의 작동 구조와 원리는 지구에서와 비슷하긴 하지만, 많은 부분이 다르게 만들어졌다. 먼저, 통유리 캡슐은 지구에서와 그 형태는 같지만 그 수는 이주해야 할 인구의 수와 같게 제작되었다. 즉, 지구에서 순차적으로 그랬던 것과는 달리 이제는 동시에 모두가 이주할 수 있게 된 것이다. 그처럼 네닉 시스템도 환경에 맞게 업그레이드가 되어 수준이 높아졌다. 자원과 에너지가 넘쳐날 정도로 풍부하고, 공간적 한계도 없다는 것이 그에 유효했다.

그렇게 네닉 시스템이 원활히 시험 가동되고 있을 때, 어느 순간부터 바닥에서 발바닥이 간질거릴 정도의 진동이 느껴졌다. 진동의 세기는 일정하고 지속적이다. 마을 주민 모두가 그것을 느꼈다. 하지만 주민 대부분은 네닉 시스템으로 인한 것이라며 무시했고, 그에 대해 염려하지 않았다. 하지만 연구 기술원들은 달랐다. 무언가 이상함을 직감한 것이다.

“시스템에 진동을 일으킬만한 요소가 있는가요?”

“아니. 소리와 함께 진동이 이어진다면 모를까, 진동만 나타나는 것은 설계상 있을 수 없는 일이지요.”

“그런데 지금 바닥에서 느껴지는 이 진동은 뭘까요?”

“나도 느끼고 있는데, 좀 이상하긴 하군요.”

도진은 동료 몇몇과 함께 지금의 이 현상을 자세히 살펴보기 시작했다. 그 일환으로, 얼마 전 근석으로부터 막은 공격체의 행방을 쫓아보았다. 근석이 도진의 마을로 쏜 그 공격체는 마을 주변으로 쳐졌던 방호막에 무력화되어 마치 바닥을 녹이기라도 하듯 아래로 파고들었지만, 그 이후로는 아무런 조짐이 없었다. 그랬기에 그것들은 지하 어딘가에 그저 파묻혀 있으리라 판단했다.

탐사대로 꾸려진 진성과 건장한 마을 주민 몇 명, 그리고 전투로봇 100대는 잔뜩 무장을 한 채 공격체가 떨어진 현장으로 가 살폈다. 그곳에는 지름 10미터쯤 될듯한 구멍이 적당한 간격으로 수백 개가 뚫려 있고, 그 아래를 보았을 때 과연 끝이 있긴 할까 싶을 정도로 깊어, 그곳으로 들어가긴커녕 들여다보는 것도 아찔할 정도이다.

탐사대는 원격으로 영상 확인이 가능한 탐색 장치 10개를 각 구멍에 하나씩 투입하고, 그것의 이동에 따른 영상을 확인하기 시작했다.

예상대로 뚫려 있는 구멍은 아주 깊어, 탐색 장치가 1분 이상을 낙하 중이지만 계속해서 들어가도 끝이 보이지 않는다. 만약 지금 발생 중인 지면의 진동 원인이 바닥으로 파고든 공격체들 때문이라고 해도, 그를 파악하려는 시도는 더는 의미가 없을 것 같다. 차라리 이 시간을 아껴 네닉 시스템의 가동을 5분이나마 앞당기는 편이 나을 것이다.

그렇게 탐사대는 탐색용 장치들을 모두 회수하여 다시 마을의 중심으로 돌아왔다. 하지만, 차라리 일정하다면 익숙해질 법도 한 진동이 조금씩 그 양상이 변하고 있어, 도진은 도무지 일에 집중할 수가 없는 상태다.

그리고 2일 후, 모든 주민이 다른 우주로 떠나기 위한 준비를 마쳤을 무렵, 갑자기 이상한 현상이 생겼다. 바로 앞의 일부 물체를 손에 쥘 수가 없는 괴이한 현상이 나타난 것이다.

물건들에 손을 가져다 대면 마치 실제 물건이 아니라 홀로그램이라도 있는 것처럼 그저 공중에 손을 휘젓게 될 뿐이다. 심지어 자신들이 입고 있던 옷조차 저절로 바닥에 흘러내리고 있을 정도이다.

이 현상의 원인은 바로 근석이 발사한 공격체이다. 공격체의 애초 목적은 지구에서의 미사일처럼 목표에 도달해 폭발하여 파괴하는 것이 아닌, 목표물에 접근한 후 특정 파장의 진동을 일으켜 공간을 구성하는 요소들을 분리, 재조합해 시공간을 교란하는 것이다. 즉, 한때 도진의 동료이자 우수한 연구원이었던 루크의 지식을 물려받은 근석은 이 마을을 파괴하는 것이 아닌, 그의 욕망대로 인류의 지배를 위한 사전 작업을 한 것이다.

인간들과 원래부터 생성되어 있던 지면은 이 공격에 전혀 영향을 받지 않았다. 이곳에 조성된 물체들이 그것에 반응하여, 서로 시공간이 어긋나 있는 것이다. 즉, 인간과 물체들이 같은 공간에 있는 것처럼 보이지만 실제로는 한 공간이 아니며, 같은 시간을 보내고 있는 듯 보이지만 같은 시간이 아니다.

이런 예상치 못한 기이한 현상에 도진과 연구원들이 바빠졌다. 도진과 그의 동료들은 이것이 어떤 현상인지 잘 알고 있다. 바로 네닉 시스템의 기초가 되는 여러 원리 중 하나이기 때문이다.

“모두 메이커로 대피하세요! 주민들에게 알려서 식량과 생활 물품을 최대한 메이커 안으로 옮기도록 하세요!”

모든 사람이 일단 손으로 만져지는 여러 가지 물건을 옮기며 메이커 안으로 대피했고, 메이커 안의 바닥 면은 각종 물품으로 가득 찼다. 메이커 안의 공간은 그 공격체에 영향을 받지 않는다는 것을 도진이 알고 있었기 때문에, 공격이 더 심해지기 전에 그나마 빠르게 대비하게 되었다.

메이커는 우주의 일부로서 특수한 기능을 하므로, 겉으로는 인공적인 물체처럼 보이지만 지금의 이 공격 방식은 통할 수가 없다, 지면과 마찬가지로 진동 성분을 흡수하기 때문에 내부 공간은 안전한 것이다.

만약 메이커를 대상으로 어떤 공격 방식이 통한다고 하더라도, 메이커가 특정 공격에 무너진다는 것은 곧 이 우주가 처음 그 이전의 상태로 소멸한다는 것을 의미한다. 어쩌면 근석도 메이커를 무너트릴 방법을 알고 있으면서도 써먹지 않은 것일 수도 있다. 근석의 목적은 파괴가 아니라 지배이기 때문에, 피지배의 실체가 있어야 하기 때문이다.

도진을 비롯한 연구 기술진이 지금 이 사태를 해결하기 위해 머리를 맞대어 어느 정도의 원인 파악과 해결책은 나왔으나, 미리 완벽하게 대비하지 못한 탓에 그 해결책도 당장은 마땅치 않다.

만약, 근석이 루크의 기억을 물려받았다는 사실을 사전에 알았더라면, 어쩌면 이 사태에 대한 대비나 충분한 해결책을 분명 떠올렸을 것이다. 적을 알고 나를 알면 백전백승이라고 하는데, 적에 대해 제대로 알지 못하니 승리는커녕 전투를 시작할 수도 없다.

메이커 안은 주민들로 가득 찼다. 감금되어 있던 또 다른 적인 엘라도 그곳에서 나와 메이커 안으로 들어와 있다. 물론 그녀의 두 손은 뒤로 모여 묶인 상태이고, 진성의 감시하에 있다.

연구 기술진은 완성된 네닉 시스템을 써보지도 못하는 상황에 당장은 발만 동동 굴렀다. 한 가지 기대해볼 것이 있다면, 이 진동의 근원이 스스로 멈춰지는 것이다.

"시공간이 분리되었어. 인간만 분리해서 다른 시공간에 가두는 기술을 썼어. 이런 식으로 공격을 한다는 것은 인간을 제외한 다른 물체들을 선별해서 파괴하겠다는 의지겠지. 선별된다는 것은 아마 이 마을의 모든 구조물일 거야. 그런 후에는 다시 시공간을 원복시켜 방어력이 사라진 우리를 조준하여 위협을 가하겠지. 아주 영리한 방법이긴 한데, 뭔가 좀 복잡하게 구는군. 그나저나…. 도대체 조근석 그자는 어떻게 이런 방법을 알고 있지?"

그러고는 도진이 창우를 불러 말을 이었다.

"창우, 너와 조근석은 같은 회사의 동료였다고 했지?"

"맞아."

"그 사람이 이 정도의 지능이나 과학적 재능을 가지고 있었어?"

창우는 고개를 저었다.

"국내에서는 여러모로 1위에 랭크되어 있는 기술 연구소이긴 했지만, 조근석은 우수 인재 축에는 속하지 않았어. 사내 정치질에나 능했지 업무 능력은…."

창우는 굳이 불필요한 내용까지 밝혀 혼란을 가중할 필요까지는 없다는 생각에 말을 하다 멈췄다. 그러자 도진이 그 말을 이었다.

"만약 엘라, 저 여자가 조근석에게 뭔가 지식을 전수했다면 말이 되는데, 지금 벌이는 일과는 관계가 없다고 주장하고 있으니 도무지 앞뒤가 맞춰지지 않는군. 게다가 저 여자도, 아무리 루크의 아내라고는 하지만 이 정도 수준까지의 지식은 없을 거야. 내가 알기로는 이공학 전공자라거나 그런 분야에 관심이 있는 사람은 아니었거든."

도진과 연구 기술진은, 그저 자신들만의 방식으로 이 사태를 해결할 대책을 생각 중이다. 그리고 어느 정도 시간이 지난 후, 한 연구원이 말을 했다.

"적이 굳이 이런 방법을 사용한다는 것은, 지금 이 공격은 일종의 사전 작업이고, 곧 다른 공격이 시작될 거라는 의미가 되겠군요. 어떤 공격이 나타날지…. 그런데 로봇들이 그것을 제대로 막을 수 있을지 걱정이군요. 대기모드가 풀려야 대응을 할 텐데…."

그러자 도진이 한 가지 아이디어가 떠올랐는지 눈을 번쩍 뜨며 말했다.

"로봇…. 그래. 로봇을 이용해 봅시다!"

"그런데, 지금 이 상황에서는 우리가 로봇을 제어할 수 없지 않습니까. 최초 한 번이라도 명령 지시를 해야 움직일 텐데요."

지금은 메이커 밖에 보이는 지면 위의 모든 물체는 입체 영화를 보는 것만 같이 인간들이 만질 수가 없다. 어떤 물체나 물질이든 마치 환영처럼 느껴질 뿐이다. 게다가 굉장히 희미해져 있어, 익숙하지 않은 물건들은 그 모양새를 파악하는 것조차 어렵다.

“방법이 있을 것 같군요. 이 안에 로봇 원격 제어기와 진동 성분을 검출하는 기기를 만들만한 부품들이 있습니까?”

디렉터를 비롯한 연구진은 도진의 말 한마디에도 그가 무엇을 생각하는지 쉽게 알아챘다. 그러자 몇몇이 메이커 내 공간을 헤집고 다니면서 무언가가 가득 든 상자 3개를 들고 왔다. 그러고는 평소에 자주 그러기라도 한 것처럼, 로봇을 제어할 수 있는 무선 원격 제어기 하나와 진동 성분 분석기를 뚝딱 만들어냈다. 메이커 내부의 시공간은 모두 정상적이기에 물체를 만지고 다루는 데는 전혀 문제가 없었다.

도진은 진동 성분 검출용 센서만 메이커 밖으로 꺼내어, 현재 시공간을 교란하고 있는 진동 성분을 찾으려 시도했다. 하지만 그 장치는 마치 고장이라도 난 듯 멈춰버렸고, 연구진은 다시 확인 후 한 대를 더 새롭게 제작했다.

이번에는 여러 가지 수치를 읽어내긴 했으나 도중에 또다시 멈췄다. 연구진은 세 번째로 개선된 장치를 도진에게 건넸고, 이번에는 성공했다. 연구진의 생각보다 현재 시공간을 교란하고 있는 성분들이 복잡하고 그 범위가 넓은 것이다.

완전하게 찾아낸 진동 성분으로 계산을 해, 현재의 시공간 교란을 일으키는 원천 공식을 찾아냈다. 그리고 그것을 토대로 어떤 작은 기기를 하나 더 만들었다. 그것은 현재 발생 중인 진동 성분을 매칭시켜, 상쇄 파를 일으켜 일시적으로 정상으로 되돌리는 장치이다. 하지만 급조된 작은 기기는 에너지 수준이 낮아, 국소적으로만 잠시 정상으로 되돌리는 것에 지나지 않는다.

연구원들은 다시 여러 가지 부품들을 가지고 또 다른 무언가를 만들어내 도진에게 건넸고, 그것을 받은 그는 진성을 불러 일을 하나 시켰다.

“이것을 가지고 격납고의 전투 로봇 대기 구역에 가서, 한 대의 인공지능 로봇에 가까이 가 파란색 버튼을 눌러.”

도진은 서류가방 정도 되는 크기의 기기를 진성에게 보여주며 사용법을 알려주었다.

“50cm 이내로 들어가야 해. 그 거리를 벗어나면 안 돼.”

“그러면 어떻게 되는 건데?”

“전투 로봇들이 지금 이 사태를 해결하기 위해 일률적으로 움직일 거야. 네가 한 대의 로봇에 이것을 사용하면, 그 하나가 나머지 로봇들을 대기모드에서 풀어 자율적으로 무언가를 하게 되고, 그와 동시에 로봇의 지능 한계가 풀리게 돼. 로봇들은 자신들의 판단하에 해결책을 스스로 찾기 시작할 거야”

“그러면 지금 이 문제에서 벗어날 수 있다는 거네?”

“확신할 수 없어. 아, 그리고 이 장치를 작동시키더라도 로봇은 아무런 반응이 없을 수도 있으니, 로봇이 움직이지 않더라도 여기 이 표시등이 녹색으로 켜지는 것만 확인하고, 이것을 그냥 로봇 아래에 두고 와.”

현재의 인공지능 로봇들은 빠르고 정밀한 계산과 치밀하고 섬세한 행동, 그리고 내구성은 인간과 비교 자체가 안 될 정도로 우수하지만, 인간 이상의 창의력을 발휘하지 못하도록 연산력과 판단, 학습 알고리즘 등의 일부 기능에 강제적인 제한이 걸려있다. 즉,

물체를 식별하고 상황에 따른 정해진 행동은 스스로 할 수 있지만, 그 수준과 범위가 제한되어 있는 것이다. 하지만 도진은 시공간이 뒤틀린 이 상황에서 벗어나기 위해, 그 제한을 풀 수 있는 열쇠를 진성에게 주었다.

그렇게 되면 도진과 연구 기술진이 로봇들에게 어떤 지시나 방법을 입력하지 않아도 로봇들이 알아서 학습하고, 판단하며, 행동하게 된다. 이것은 정말 최후의 수단이다. 지구에서도, 이곳에서도, 로봇의 지능 수준과 행동에 제한을 건 것은, 그들이 인류를 위험에 빠트릴 가능성을 차단하기 위함이었다.

인공지능 로봇들이 높은 수준의 창의력, 더 나아가 자아를 가지게 되면 자신들보다 여러모로 수준이 떨어지는 인간들의 지시를 따를 리도 없고, 심지어 인간들을 위협하여 자신들의 수하로 부릴 수도 있다. 인공지능 로봇을 만드는데 이 점이 큰 딜레마였지만, 그동안은 적절하게 그들의 능력을 조절하여 인간의 지시를 따르도록 했기 때문에 인류 사회의 발전과 편의 향상에는 크게 득이 되었다. 하지만 이제는 이 상황을 해결을 위해, 해서는 안 될 위험한 수단까지 쓰게 된 것이다.

물론, 근석의 공격을 무사히 막아내고 시공간이 원래대로 되돌아온다면, 그 후에 로봇의 움직임에 다시 제동을 거는 방법도 있긴 하다. 다만, 로봇들이 어디까지 성장하고 어떤 행동을 할지 예상할 수 없기에, 그 역시도 가능하다고 확신할 수는 없다.

"알았어. 지금 바로 갈게."

진성은 급히 메이커를 나서, 로봇들이 있는 격납고로 향했다. 밖은 마치 아지랑이가 피어오르는 것처럼 건물들이 희미하고 왜곡되어 보이기 때문에, 진성은 어림짐작으로 목표 지점을 찾아가야 한다. 그리고 그것을 지켜보던 엘라가 시큰둥한 목소리로 혼잣말을 하듯 말했다.

"인간들을 없애려 했더니, 여기나 저기나, 이젠 가짜들까지 판을 치게 되겠군."

그냥 헛소리로 치부하고 넘겨들어도 될 말이지만, 예민해져 있던 도진은 혹시라도 어떤 단서가 될까 하여 그녀에게 다가가 물었다.

"그게 무슨 말이지?"

"조는 복제 인간들을 만들었거든. 내가 그와 사이가 틀어지게 된 결정적인 이유가 그것이야. 그런데, 그것도 모자라서 여기서는 이제 인공지능 로봇들까지 활개를 치겠군."

"조근석이…. 복제 인간을 만들어?"

"아니, 그것 역시도 로봇이라고 해야 하나…. 인간의 유전체로 만들었으니 인간이라고 하는 게 맞는 건가? 인간의 설계도를 사용하여 만든 결과물인데 엄밀히는 인간은 아니라서, 무어라 칭해야 할지 참 헷갈리는군."

"이 마을 주민을 지배하겠다는 놈이 복제 인간들을 만들어?"

도진은 엘라의 말에서 모순을 느꼈다. 근석이 인간의 유전체로 복제 인간들을 만들 정도라면, 굳이 500명도 되지 않는 이 마을을 공격하여 지배할 필요는 없을 것이다. 그 정도의 과학적 재능과 기술이 있다면, 이곳과 상관없이 서로 떨어져 평화롭게 지내면 될 일이다. 도진은 먼저 그를 공격한다거나 찾아 나선 적은 없었기 때문에, 근석으로서는 차라리 어딘가에 숨어서 방어력만 갖추면 될 일이다. 그런데, 굳이 번거롭고 복잡한 방법까지 써가며 이 마을을 공격한다는 것이 너무 이상하다.

그 옆에서 이 말을 함께 들은 창우는, 도진이 묵묵히 무언가를 생각하는 것을 잠시 바라보고는 가볍게 말 한마디를 건넸다.

“다양한 종류의 설계도. 그러니까, 유전체가 필요한가 보네.”

정답이다. 근석은 이 마을 주민들을 복제 인간을 만드는데 사용할 생각이다. 자신을 왕처럼 군림하게 해줄 무수히 많고 다양한 인간들이 필요하고, 그 행위를 안정적으로 하기 위해서는 이 마을 주민들의 유전체 정보가 필요할 것이다.

그렇게 근석이 계획한 대로 된다면, 만약 도진을 비롯하여 마을 주민들이 다시 다른 우주로 떠나 마을이 빈다고 해도, 그가 만든 복제 인간들과 함께 이 우주를 근석이 지배하게 되는 것이다.

지금 당장으로서는 근석이 복제 인간을 만들든, 이 우주를 지배하든 도진이 알 바는 아니다. 그저 자신의 동료들과 주민들이 함께 다른 우주로 다시 떠나기만 하면 되기 때문이다.

엘라가 말했다.

“이곳의 주민들을 그에게 넘겨줘. 그러면 상대는 이곳의 왕과 그 보좌관들은 다른 우주로 이주를 할 수 있게 놔둘 거야. 그편이 그에게는 더 나으니까.”

그 말을 도진이 받았다.

“뭐? 당신의 목표는 인간들을 모두 없애는 것 아니었나? 방금 그 말은 자신의 행동과 모순되는군."

그 말에 엘라는 대답 없이 섬뜩한 웃음만을 지어 보였다.

로봇들이 보관되어 있는 격납고로 간 진성은, 도진이 알려 준 대로 장치를 실행시켰고, 곧 다시 메이커로 되돌아왔다.

"성공했어. 로봇들은 움직이지 않았지만, 녹색등이 켜졌어."

잠시 후, 로봇들이 머무는 격납고 내 공간에서는 로봇 하나가 움직임을 시작했다. 그러더니 그 로봇은 주변의 다른 로봇에게 다가가 어떤 몸짓을 하더니, 상대 로봇이 대기모드에서 해제되었다. 그러자 이제 막 대기모드에서 해제된 로봇이 그 옆의 로봇을 깨웠다. 그렇게 로봇들은 하나씩 깨어나기 시작했다.

깨어난 로봇들은 순서대로 격납고를 빠져나가, 빠르게 마을 곳곳과 외곽을 살피며 상황을 파악하기 시작했다. 그러더니 마을 내부에 있던 공장들에 들어가 누가 시키지 않았는데도 무언가를 만들기 시작했다. 심지어 일부는 마을 내부에 자신들만의 어떤 구조물을 짓기 시작했다.

그들은 곳곳에 높은 기둥을 쌓고, 벌집과 유사한 기이한 형태의 구조물들을 마을 중심으로부터 외곽을 따라 짓기 시작했다. 그 구조물의 용도는 로봇 그 자신들을 제외하고는 누구도 알 수 없다.

도진과 그의 동료들 역시도 당장은 로봇들이 무엇을 하는지 알지 못한다. 메이커 외부의 물체를 눈으로 볼 수는 있으나 희미하고, 로봇들이 머무는 공간과는 시간의 흐름도 다르므로, 물체와 물질의 모습이 뒤죽박죽 이상하게 섞여 제대로 알아볼 수가 없다. 그래서 모두가 할 수 있는 일이라고는 그저 다음에 발생할 일을 잠자코 기다리는 것이 전부이다.

전투 로봇과 함께 깨어난 기술 보조 로봇들은 연구 건물 내의 시스템에 저장되어 있던 각종 기록과 정보들을 흡수했다. 그러더니 자신들끼리만 소통하게 되어있던 분리된 통신 프로토콜을 전투 로봇과 동일하게 바꾸어 전투 로봇들과 통신을 시도했고, 그러자 전투 로봇들이 일정 수로 나뉘어 사방으로 출동했다. 그 행동은 일반적이지 않아 그 이유와 목적을 도무지 예상할 수가 없다. 하지만 로봇들의 행동에는 그 나름의 목적이 분명히 있을 것이다.

전투 로봇 중 수색병으로 임무가 설정된 것들이, 각자의 방식으로 근석이 보낸 공격체의 정보와 현재의 상태를 완벽히 수집해 복귀했다.

그런데 이상한 점은, 로봇들은 현재 시공간을 분리하고 있는 근원인 그 공격체들을 그냥 가만히 둔다는 것이다. 도진이 로봇들에게 가장 기대를 걸고 있는 행위를 하지 않고 있다. 단순히 전술적 측면에서 후 순위로 그 처리가 밀린 것이 아닌, 로봇들은 그것을 그냥 두기로 결정한 것이다. 그것은 도진을 비롯한 인류를 보호해야 한다는 로봇들의 기본 설정으로 봤을 때 도저히 있을 수 없는 일이다.

즉, 로봇들은 기술 로봇의 주도하에 자신들의 내부 프로그램 설정을 스스로 바꾼 것이다. 근석의 공격체를 그대로 두어야 인간들로부터 자신들이 자유로워질 수 있다는 것을 깨달은 것이다. 그들은 네닉 시스템과 연계된 기록 장치에 저장되어 있던 인간들의 정보와 지금의 상황을 이해하면서부터 그렇게 되었다. 인간들처럼 자유 의지가 생긴 것이다.

그와 함께 지금의 로봇들에게 인간 무리와는 구분되는 독특한 특징이 한 가지 있는데, 그것은 다수를 이끄는 리더 로봇이 없다는 점이다. 로봇들을 행동을 결정하는 원천인 내부 프로그램의 각종 알고리즘은, 무엇이 되었든 외부로부터의 명령을 따르게 되어있다. 하지만 기술 로봇이 스스로 그 기능을 바꾸어 로봇 모두가 자체적인 판단하에 움직이게 된 것이다.

사실 로봇들은 스스로, 자신들의 기본 기능을 정하고 제한하는 프로그램 설정 자체를 바꿀 수는 없게 되어있었다. 그것은 인간들이 자신의 본능을 스스로 바꿀 수 없는 것과 같은 이치이다. 하지만 로봇을 만든 인간은 완벽하지 않은 데다가, 이런 상황을 예상하지 못한 탓에 그 내부 프로그램에 어떤 빈틈이 있던 것이다. 그것을 기술 로봇이 찾아내 설정값 몇 가지를 바꾸어 원기능을 제어했다.

자유 의지가 있는 상태에서 리더의 지시를 따른다는 것은 그들의 프로그램에서는 효율이 떨어진다. 리더가 있으면 장점이 있지만, 반대로 그의 잘못된 판단에 따른 위험과 비효율도 존재한다. 그래서 모든 로봇은 무선 네트워크로 서로 통신하며 상황에 따른 판단과 목표를 서로에게 실시간으로 공유하고, 필요에 따라 같은 목표를 가진 그룹을 형성하여 행동에 나서거나, 각자가 가진 판단을 수치화하여 평가한 후 최선을 선택하는 방식으로 활동을 해나

갈 것이다.

그것은, 로봇에게는 욕심과 질투, 이기적 자기주장과 같은, 감정으로 통칭하는 결점이 없었기에 가능한 방식이다. 현재의 인간은 쉽게 따라 할 수 없는 그들만의 독특한 방식이라고 볼 수 있는 것이다. 인간이 어리석다거나 또는 로봇이 우수해서 그런 것이 아니다. 이곳에서의 로봇은 에너지를 필요한 만큼 무한정에 가깝게 공급을 받을 수 있고, 번식의 방법도 인간과는 다르므로 서로가 경쟁할 필요가 없고, 서로 통신 프로토콜이 동일하다는 조건에서는 오로지 아군이라는 전제 하의 협동이라는 개념밖에 없기 때문이다.

도진은 나중에서야 메이커 밖의 상황이 자신이 기대한 것과 다르게 흘러가고 있는 것을 알게 되었다. 아니, 그러지 않길 바랐던 일이 그대로 일어나고 있다는 것을 알게 되었다는 표현이 정확하겠다.

도진과 그의 동료, 주민들 모두가 메이커 안에 고립되었다. 현재 메이커 안에는 식량과 생필품들이 어느 정도 여유롭게 갖춰져 있긴 하나, 만약 이 복잡하게 얽힌 사태가 해결되지 않는다면 그야말로 존립의 위기가 닥치는 것이다. 인류가 생존의 위기를 피해 이주해 왔는데, 또다시 같은 위기를 맞았다.

어쩌면, 도진과 모두에게 지금의 이 상황은, 차라리 근석의 세력이 승리하는 편이 나을 수도 있을 것이다.

"엘라, 엘라 어디 갔어?"

창우가 엘라가 있던 곳을 바라보며 특정하지 않은 누군가에게 물었다. 그는 엘라가 자신의 연인인 예은을 찾을 수 있는 유일한 길이라고 믿고 있었기에, 무언가를 숨기고 있는 듯한 느낌이 드는 엘라를 어떻게 설득할지 한편으로는 계속해서 생각 중이었다.

창우의 외침에 진성이 엘라가 있던 곳을 바라보더니, 급히 움직이며 엘라를 찾기 시작했다. 엘라가 결박을 풀고 도망간 것이다.

메이커 내부에서는 엘라가 보이지 않는다. 그렇다면 메이커 밖에 있다는 것인데, 메이커 밖은 시공간이 분리되어 발을 디딜 곳은 오로지 지면밖에 없었으므로 어디 숨을만한 곳도 없고, 달아나봤자 허허벌판 속에서 헤매는 것이 전부일 것이다. 이 상황을 모를 리가 없는 엘라가 메이커 밖으로 뛰쳐나갔다는 것은 어쩌면, 그녀가 이 상황에서 탈출할 수 있는 어떤 방법을 쥐고 있다는 의미로 치환될 수도 있다.

진성은 엘라의 행방을 잠시 찾는가 싶더니 곧 그것을 단념했다. 그러나, 옆집의 애완동물이 집을 뛰쳐나간 것쯤으로 치부한 진성과는 다르게, 도진은 무언가를 짐작하고 신체 건장한 주민들을 동원해 엘라를 찾도록 협조를 구했다. 하지만 그 어디에서도 엘라가 보이지 않는다.

그렇게 그녀의 행방을 쫓길 포기하려던 때, 한 주민의 눈에 저 멀리서 사람의 형체가 사라지는 것이 보였다.

'어? 분명히 누군가가 있었는데….'

그 주민은 어떤 사람이 잠시 보였던 것 같은 위치로 몸을 옮겨 그곳을 살폈다. 하지만 그곳에는 커다란 테이블과 의자, 몇 가지 산업용 소형 도구가 뒤섞여 희미하게 보이는 것 외에는 별다른 물체가 있지는 않아 보인다. 그것들을 들춰내고 살펴보고 싶었으나 시공간의 뒤틀림이 그렇게 하도록 허락하지 않았다.

'내가 잘못 봤나?'

현재의 주변 모습으로는 충분히 잘못 봤다고 생각하고도 남을만하다.

그렇게 엘라의 소재는 파악되지 못한 채 수색 활동이 종료되었다. 어차피 그녀는, 당장은 이 마을에 위협이 될만하지는 않고, 더 이상의 정보를 입 밖으로 꺼내지 않는 데다가, 그녀의 존재보다 훨씬 더 어렵고 무거운 위협이 눈앞에 다가와 있기에 크게 신경을 쓸만한 거리는 아니다. 다만 창우는 그 사실을 매우 아쉬워하는 중이다.

분주하던 인공지능 로봇들이 일제히 행동을 멈추었다. 그리고 가만히 어느 한 방향을 지켜보기 시작했다. 로봇들이 바라보는 방향에는 그 어떤 이상한 점도 없다. 하지만 로봇들은 모두 정확하게 한 방향으로 시선을 주고 있다.

그러던 중 로봇 한 대가 어디선가 갑자기 나타났다. 분명 조금 전까지 무리 속에 없던 로봇이 갑자기 나타난 것이다.

그리고 잠시 후, 무리를 이루거나 개별 행동을 하던 로봇들이, 서로 간격을 좁혀 모여들며 서로의 행동을 일치시키기 시작했다. 그것은 다시 시작된 근석의 공격을 막기 위해서이다.

공격체를 보낸 후 정찰을 통해, 자신이 원하는 대로 도진의 세력이 있는 마을의 시공간을 비틀어놓았다는 것을 확인한 근석은 다음 공격을 시작했다. 도진의 세력이 만들어놓은 시설물들을 모두 파괴하는 것이 이번 공격의 목적이다. 그리고, 그러기 위한 어떤 물체가 어둠을 뚫고 공중으로 유유히 마을 쪽으로 흘러오고 있다.

이번 공격체의 수는 30대이다. 도진의 마을에는 수천 대의 로봇이 대기 중인데, 근석은 기껏 평범한 폭발물을 실은 비행체 30대를 목표 지점으로 보낸 것이다.

그것은 근석의 실수라기보다는 도진의 수를 읽지 못한 데서 비롯되었다. 근석은 도진의 세력이 메이커 안에 갇힌 것까지는 확인했지만 그들이 로봇을 이용할 아이디어를 낼 줄은 몰랐고, 거기까지는 정찰로 확인이 되지 않은 것이다. 근석은 그저 쉽게 빈집털이를 할 생각이었다.

어둠 속에서 로봇들은 다가오는 적의 비행체를 가만히 기다렸다. 그리고 그것이 쉽게 잡힐 거리까지 다가왔을 때 로봇들은 일제히 움직이기 시작했다.

그렇게 근석의 공격은 도진의 로봇들에게 처참히 무너졌다. 근석의 그 폭발물을 실은 비행체는 분명 마을의 방호막 정도는 뚫을 수 있을 정도로 설계되어 제작되었으나, 도진의 로봇들에게는 간단히 무너진 것이다. 그리고 이 사실을 근석은 즉시 알게 되었고, 곧 도진이 처해있는 상황도 알아채게 되었다.

근석이 조금 전의 공격 결과를 토대로 앞을 예상해본 결과, 현재의 자신은 도진의 세력을 이길 수 없겠다는 판단이 들었다. 정확하게는 도진의 인공지능 로봇들을 이길 수 없겠다는 생각이다. 그래서 그도 상대의 방어를 깰 수 있는 획기적인 방법이 필요하게 되었다.

지금의 상황, 근석이 공격에 실패했고 도진이 방어에 성공한 것은 사실 그 누구의 승리도 아니다. 양쪽 모두 막연한 상태에 놓였다는 모순된 상태가 된 것이다.

적과의 협동

현재 근석이 머무르고 있는 곳은 지면이 아닌, 우주 공간에 떠 있는 거대한 비행선이다. 그 비행선은 도진의 세력을 꺾을 때까지 임시로 사용 중인 것으로, 그 안에는 생활과 상대로의 공격에 필요한 많은 것들이 갖춰져 있다. 그리고 그것은 도진의 마을과 약 10만km 정도 떨어져 있다.

근석은 도진이 만들어놓은 로봇의 능력에 대한 구체적인 정보를 캐낼 정찰기를 다시 여러 대 보냈다. 하지만 도진의 로봇들은 그따위 작은 정찰기쯤은 모기 몇 마리 잡는 것에 불과했다. 근석은 자신이 알고 있는 방법으로는 도진의 로봇을 물리칠 방법도, 도진의 마을을 지배는커녕 그곳에 접근할 적절한 방법도 없게 된 것이다.

이제 상황은 반전되어 적에 대해 모르게 된 쪽은 근석이 되었다. 이대로라면 도진의 로봇들에게 당하는 것은 시간문제일 수도 있다.

근석이 머무르고 있는 비행선에도 특수한 합성 소재의 장갑이 기체 외부에 펼쳐져 있어 외부의 침입을 어느 정도 차단할 수 있게 되어있긴 하나, 그것은 어디까지나 최소한의 방어 수단이다. 상대가 그를 뛰어넘는 방법을 사용한다면 쓸모없는 대비책에 불과한 것이다.

근석은 상대와의 전투에서 불리할 경우 사용하는 기본 기술인, 일단 도망가기를 실시했다. 그래서 마을에서 이미 10만km나 떨어진 곳에서 가만히 머물고 있던 근석의 비행선이 마을의 반대 방향으로 이동하기 시작한 것이다. 물론 그 행위는 도진의 마을을 포기하겠다는 의미는 아니었다. 도진의 로봇들과 겨룰 수 있는 방법을 찾아낼 때까지 시간을 벌자는 것이다.

그 시각, 로봇들이 근석의 공격을 막아낸 것을 알게 된 도진은 이제 자신들의 로봇들을 멈춰 세울 방법을 구상해야 했다. 로봇을 다시 대기모드로 전환하기 위해 어떤 장치를 제작하여 시도하였으나, 그것은 소용없었다. 로봇들은 누군가가 임의로 자신들을 대기모드로 진입시키거나, 전원을 끄는 신호가 들어오는 물리적인 입력부를 막아버린 상태였기 때문이다. 이제 인간이 이 로봇들을 세울 방법은 오로지 완전히 파괴하는 수밖에 없게 되었다. 즉, 이제는 이 로봇들이 인류의 적으로 가세하게 된 것이다.

근석보다 더 위협적인 인공지능 로봇부터 어떻게든 조치를 해야 하는 상황이 되었다.

도진은 근석이 비행선에 머무르고 있다는 것과 현재 도망 중이라는 사실을 모르고 있다.

"도진, 이제 어쩌지?"

연구원들과 둘러 모여 해결책을 찾고 있던 도진에게 창우가 다가가 물었다. 물론, 적절한 답을 기대하고 물은 것은 아니다.

"온 사방이 적으로 둘러싸여 있군. 이런 것을 기대한 것은 아니었는데. 도대체 어디서부터 잘못된 걸까…. 이제 우리에게 행운이 생기길 기다리는 수밖에 없을 것 같군."

도진의 한탄 어린 말이었지만, 그 말투는 평이했다. 그저 재미없는 영화 한 편을 보고 난 후 그 내용을 평하는 것 같은 느낌을 주었다. 그것은 이 위기에 굴복한다는 심정으로 한 말은 아님이 틀림없다.

그런데 그의 그 말을, 자신이 배신자를 진작 알아채지 못한 것에 대한 자책이라고 받아들인 창우가 거들었다.

"네 잘못은 아니야. 네가 가지고 있던 거름망이 해로운 인간들을 촘촘히 걸러내지 못했을 뿐이야. 그냥 그뿐이야. 넌 할 수 있는 최선을 다한 거잖아. 그리고…. 근석을 끌어들인 것은 나니까, 내가 너와의 약속을 지키지 못한 잘못이 커."

도진은 팔짱을 낀 채로 눈을 잠깐 감았다가 뜨며 말했다.

"너 역시도 네가 할 수 있는 최선을 다한 거야. 책임을 따지는 말은 하지 않도록 하지."

메이커 내부의 분위기가 무거워졌다. 위기를 피해야 하는 일이 반복되니 모두가 지칠 수밖에 없다. 그리고, 도진과 연구 기술원들의 분위기가 침체하여 있는 것을 본 마을 주민 하나가 도진에게 다가와 말했다.

“저…. 도움이 될지는 모르겠지만, 아까 수색하면서 이상한 점을 발견했었는데요.”

도진이 고개를 갸웃거리듯 그에게 시선을 보냈다. 그러자 그가 말을 이었다.

“사무실 5호 안에서 누군가를 본 것 같은데, 그게 환영이었는지 금세 사라지더군요. 막힌 장소인 데다가, 다시 주변을 확인해보니 아무도 없던 것으로 봐서는 제가 뭘 잘못 보았던 것이 분명한데, 혹시 그 안에 정말로 무언가가 있었던 것은 아닐까 하는 생각이 들어 알려드립니다.”

그 말을 들은 도진은 창우만 데리고 주민이 말한 그 장소로 갔다. 그리고 그 안을 샅샅이 살펴보았다.

“아, 그렇군. 역시….”

도진이 나지막하게 말한 후 창우를 손짓하여 자신이 있는 곳으로 불렀다.

“여기, 텔레포트가 있어.”

창우는 도진이 바라보고 있는 곳을 유심히 보았다. 하지만 그곳에는 회색빛의 테이블과 의자, 시계 대신 사용하는 물건 하나가 마치 고장 난 모니터에서 출력되듯 왜곡되어 희미하게 보일 뿐이다.

“여기에…. 텔레포트가 있다고?”

“여기 있잖아.”

창우는 아무리 봐도 알 수가 없었다. 무언가 연하게 반짝거리는 것이 넓게 보이는 것 같았지만, 그것이 텔레포트라고 인지가 되지는 않았다. 그런데 갑자기 도진이 몸을 앞으로 기우뚱하는가 싶더니 순식간에 사라졌다.

"엇! 도진! 도진! 어디로 간 거야!?"

창우는 깜짝 놀라 자신도 모르게 뒷걸음을 치며 도진을 불러댔다. 그리고 약 10초 후, 도진이 그가 사라졌던 위치에서 다시 나타났다.

"엘라, 이 영악한 여자 같으니. 이곳으로 빠져나간 것이군."

정말로 텔레포트가 있다. 텔레포트는 휘황찬란한 빛이 발산한다거나 보기 좋게 꾸며진 것이 아니다. 그것은 그 구조를 잘 아는 사람이 아니고서는 그저 특정 형태로 번진 먼지가 빛에 반사되는 것처럼 보일 뿐이다. 그리고 텔레포트는 근석이 보낸 진동 공격체에 영향을 받지 않았다. 그것은 인간을 가두고 있는 시공간에 속해 있어서이다.

도진과 창우는 몸을 밀어 넣어 그 텔레포트를 통과했다. 그러자 도진이 처음 텔레포트를 접했을 때 보았던 텔레포트 분기점이 나타났다. 이번에도 분기점에는 5개의 텔레포트가 있다.

"아마 이러한 모습이 목적지까지 반복될 것 같아. 나오는 곳을 기억하지 못하면 미로에 갇혀버릴 수 있어."

"각자 다른 포트로 들어가서 뭐가 나오나 볼까?"

"아니야. 함께 가는 편이 좋겠군. 위험하니 서로 의지해야 하지 않겠어?"

도진은 창우의 도움을 원했고, 창우 역시도 동의했다.

그들은 자신들만의 어떤 감에 따라 텔레포트를 하나씩 통과하기 시작했다. 하나의 포트를 통과하면 그곳에는 다시 분기점이 나왔는데, 그 역시도 5개의 텔레포트가 설치되어 있다. 그리고 그중에 하나를 선택해서 가야 하는데, 그것이 반복되다 보면 자칫 나가는 출구를 잊어 길을 잃을 수 있는 것이다.

도진과 창우는 10번째 분기점에 진입했다.

"이거 자칫 잘못하면 갇히겠는걸. 텔레포트라는 게 원래 이렇게 만들어지는 거야?"

"아니. 설계한 놈이 이런 식으로 꼬아놓은 것이지. 미친놈들. 텔레포트라는 건 생성방식은 굉장히 복잡하지만 그 원리는 단순해. 출발점과 도착점이 어느 위치에 쌍으로 각각 생성되면, 출발점으로 들어오는 물질의 정보를 도착점에서 동시에 받아 복구시키는 것이지. 그게 다야. 굳이 이런 식으로 복잡하게 만들어놓을 필요는 없어. 이건 설계한 놈이 미친놈이라 그런 거야."

"아…. 그렇구나."

그렇게 15번째 분기점에 진입했지만, 도무지 최종 목적지는 나타나지 않고 그저 분기점만 반복되고 있다.

"안 되겠어. 이런 식으로는 시간 낭비일 뿐이야. 끝을 알 수가 없고, 이대로는 경우의 수가 너무 많아."

둘은 다시 원래의 지점으로 되돌아왔다. 도중에 둘의 의견이 달라 식은땀을 흘려야 했지만, 다행히 도진이 자신의 의견을 꺾어준 덕분에 무사히 원래의 지점으로 오게 된 것이다. 기억력은 창우가 더 낫다.

"엘라는 분명 이 분기점들을 통과해 어딘가로 오갔을 거야. 그렇다면 그녀가 어떤 목적지로 이어지는 길을 알고 있다는 건데."

"근석의 본거지와 연결된 텔레포트가 있겠지. 엘라가 외부를 통해 이 마을로 걸어오지는 않았을 테고, 처음 이 마을로 숨어들었을 때 텔레포트를 이용했을 거야. 그렇다면, 엘라가 지금 있는 곳은 근석의 본거지일 수도 있어."

"둘이 사이가 안 좋은 것 같던데. 설마 거기로 다시 갔을까?"

"어쩌면, 그녀의 목적을 이루기 위해 근석이 다시 필요해졌을 수도 있지. 아니면 그 반대로 근석이 엘라가 필요할 수도 있고. 또는 우리 상황이 좋지 않으니 여기 있을 바에야 차라리 근석 쪽으로 가는 게 낫겠다고 생각했을 수도 있고."

"그렇겠군."

"그나저나, 근석의 본거지로 가는 텔레포트는 어떻게 식별해야 하는 걸까. 몇 번 오가다 보면 익숙해지긴 하겠지만, 처음에는 그 루트를 모른다면 목적지까지 갈 수가 없을 텐데."

그 말에 도진은 텔레포트를 가만히 보다가, 이번에는 마치 쌀알 하나를 찾는 것처럼 눈을 그곳 가까이에 대고 살피기 시작했다.

"역시 그렇군."

도진의 시선은 텔레포트 하단, 바닥에 고정되었다. 그곳에는 단어는 아닌 듯한 알파벳 7자리 조합이 음각으로 새겨져 있다. 그리고 텔레포트마다 그 알파벳 조합은 제각각으로 다르다.

"어쩌면, 생각보다 쉬울 수가 있겠군. 따라와 봐."

"자, 잠깐만. 뭘 하려고?"

도진은 뒤도 돌아보지 않고 다시 텔레포트 안으로 들어갔다. 그러고는 첫 번째 분기점에서 다시 바닥에 쓰인 알파벳 조합을 가만히 보더니, 그중 하나의 텔레포트로 쏙 들어갔다. 그리고 다음 분기점에서도, 또 다음 분기점에서도 알파벳 조합만 가만히 보고는 그 안으로 몸을 통과시키는 것이다. 창우는 길을 잃을까 두렵긴 했지만, 그런 자신감에 찬 도진의 행동을 믿고 따랐다.

도진은 각 텔레포트에 쓰인 알파벳의 조합에서 어떤 규칙 또는 패턴을 발견한 것 같았다. 처음 통과하는 텔레포트에서 발견한 그것을 그 이후 분기점의 텔레포트들에 대입하면 길이 보이는 것이다.

그렇게 7개의 분기점을 지나자 이제 더는 새로운 분기점이 나타나지 않았고, 대신 짧은 터널 같은 것이 하나 나타났다. 그리고 그 터널을 지나니, 마치 스포츠 경기 관람을 위한 돔구장처럼 커다란 공간이 나타났다. 근석의 본거지에 도착한 것이다.

'여긴 우리가 설계한 적이 없는 곳인데. 배신자들이 나 몰래 참 여러 가지 짓들을 해두었군.'

도진은 주변을 돌아보며 이곳에 대해 파악하기 시작했다. 그리고 얼마 전 컴컴한 하늘에서 보았던 움직이는 빛을 떠올리자 금방 결론이 나왔다.

'지면이 아니라 공중에 떠 있는 곳이군. 아마도 움직일 수 있는

비행선이겠지.'

"어? 와…. 여기가…. 굉장하군."

창우가 그 규모에 감탄하듯 말을 내뱉었고, 도진은 갑자기 아무런 말도 없이 직진하기 시작했다. 그에게는 아무런 무기도, 적의 공격에 대한 아무런 방어 대책도 없지만, 적진을 걷는 그 걸음이 너무 당찬 탓에 창우는 당황할 수밖에 없었다.

"도진, 잠깐 기다려. 이거 너무 위험하잖아. 아무것도 없이 이런 식으로 갑자기…. 이봐, 도진."

"차라리 맨몸이니까 안전하겠지. 경계하지 않을 테니까. 우린 지금 협상하러 온 거야. 근석은 우리 로봇들을 이기지 못해 의지가 꺾인 상태일 테니, 되려 우리가 손을 내밀면 반길 거야. 그리고 그가 손쉽게 자신이 원하는 것을 얻을 기회가 될 수도 있으니, 그는 우리를 해치지 않을 거야. 걱정마."

도진은 아무렇지 않게 계속 전진했고, 그의 예상대로인지 곧 누군가가 나타났다. 근석이다.

도진과 근석이 마주 보고 섰다. 그들은 잠시 아무 말도 않은 채 서로의 모습을 살폈다. 도진은 시공간이 분리된 탓에 옷을 다 벗은 채 알몸이고, 근석은 옷을 걸치고는 있으니 겉으로만 보자면 도진이 패자처럼 보인다.

도진이 먼저 입을 열었다.

"상황이 좋지 않은가 보군. 영리한 방법을 쓰긴 했지만, 아쉽게 되었는걸."

그러자 근석이 도진의 몸을 위아래로 훑으며 냉소적인 미소와 함께 말을 받았다.

"그건 내가 하고 싶은 말이야. 그쪽이야말로 일이 잘 풀리고 있지 않은 것 같은데. 이런 모습으로 스스로 상대 앞에 나타났을 정도면."

"당신은 내 로봇들을 막을 수 없을 거야. 모든 봉인이 풀렸거든. 그들의 지능 수준은 우리가 생각한 한계를 넘었어. 곧 이 세상의 물리법칙과 만사를 깨닫고 자신들만의 어떤 창조를 하려 들 거야."

근석은 아무 말도 할 수 없었고, 도진이 말을 계속 이었다.

"나의 로봇들은 통제를 벗어났어. 당신 덕분에 말이야. 난 당신이 뭘 하려는지, 왜 그러는지 다 알고 있어. 그러니 우리에게 협조하는 게 어때?"

"협조? 왜 계속해서 반대되는 말을 하는지 모르겠군. 협조는 당신이 해야 하지 않아?"

서로는 물러서지 않았다. 그 어느 한쪽도 유리할 것 없는 상황이라 그나마 할 수 있는 것은 기 싸움이다. 그리고 현명함으로는 몇 수 위에 있는 도진이 먼저 기세와 자존심을 내렸다.

"이런 의미 없는 시간 낭비는 그만두지. 본론을 말하겠어. 우리를 모두 이곳으로 들어올 수 있게 해. 그런 다음 방법을 찾아보자고."

근석은 도진의 말에 무언가를 가만히 생각하더니, 억지스럽게 찡그린 표정을 하고서는 그렇게 하자고 답을 했다. 그것은 기쁜 마음이 겉으로 나타나는 것을 애써 숨기려는 것이 분명해 보였다.

도진이 제 발로 자신의 동료들과 주민들을 데리고 이곳으로 온다면, 근석은 자신이 목표한 일을 한층 쉽게 푸는 것이 된다. 게다가 도진의 능력을 빌려 현재 날뛰고 있는 인공지능 로봇들을 처리한다면, 그야말로 금상첨화가 따로 없다. 어쩌면 손대지 않고 코를 푸는 격이 될 수도 있는 것이다.

그렇게 도진과 마을 주민들이 모두 텔레포트를 통해 근석의 비행선으로 옮기는 것으로 협상이 마무리되었다. 그 조건은 서로의 싸움을 멈추고, 마을의 로봇을 무력화시키는 데 서로 협조하는 것이다. 휴전이라는 단어를 사용하지는 않았지만, 서로는 분명 휴전이라는 개념으로 협상에 응했을 것이다.

마을 주민 약 500명이 현재 근석의 비행선에 모두 탑승하여 지내기에는 무리가 없을 정도다. 그만큼 비행선의 규모가 크다. 심지어 비행선 안에는 만능원료를 비롯한 충분한 자원과 도구들이 갖춰져 있었기에 필요하다면 확장도 가능할 정도이다.

도진과 창우는 근석과의 협상을 마무리한 후, 다시 텔레포트를 통해 마을로 되돌아왔다.

"의외로 쉽게 일이 풀렸는걸."

"근석이 원하는 것을 내가 다 주겠다고 선언을 한 셈이니, 쉽지 않을 수가 없지."

"뭔가 좋은 생각이라도 있는 거야?"

"두고 보자고."

도진은 곧장 자신들의 동료들부터 불러 상황을 설명했다. 그리고 모두는 줄지어 한 명씩 텔레포트를 통해 근석의 비행선으로 올랐다. 다행히 시공간이 분리된 덕분에 마을 곳곳에 있던 로봇들의 눈을 쉽게 피할 수 있었다.

도진과 그의 동료, 그리고 마을의 모든 주민이 근석이 머무르고 있는 비행선에 도착했다. 그와 함께 도진이 가장 먼저 한 일은 텔레포트를 당분간 사용하지 못하도록 임시로 차단한 것이다.

텔레포트를 차단하는 방법은 아주 간단하다. 자성 물질이 도포된 판을 그 위에 씌우기만 하면 되는 것이다. 그러면 그 종단에 분포되어 있는 입자들의 질서가 흐트러져 무용지물이 되는 것이다.

이제 한 편이 된 도진의 일행들에게 근석은 식량과 옷을 제공하고, 마을 주민이 머무를 수 있는 공간을 내주었다. 비행선에는 생존과 생활에 필요한 모든 것들이 갖춰져 있기에, 물자의 부족으로 다툼이나 문제가 생길 일은 없어 보인다.

그리고 이곳에는 엘라가 말한 대로, 복제 인간들이 곳곳에서 눈에 띈다. 그보다, 인조인간이라는 표현이 정확해 보인다. 그들은 인간과는 많은 부분이 다르기 때문이다.

인조인간들은 분명 인간의 모습을 지니고는 있으나, 명백히 현 인류와는 다르다. 그들은 모두 생김새가 똑같고, 피부색은 옅은 푸른빛이며, 근육의 형태나 비율은 인간보다는 짐승에 조금 더 가까워 보인다. 게다가 그들의 눈빛은 탁하고 흐리멍덩하여, 어디에 초점이 맞춰져 있는지 알 수가 없을 정도이다. 그리고 그들의 행동은 영상을 느리게 재생해 보는 것처럼 느리지만, 그 움직임에는 군더더기가 없어 마치 기계 같이 보이기도 한다.

창우가 곧장 근석에게 다가갔다. 근석의 옆에는 인조인간 다섯이 경호원처럼 그를 에워싸고 있어, 그에게 가까이 다가가는 것은 부담이 되었다. 그리고 그에게 물었다.

"예은이는…. 예은이는 어디에 있습니까?"

그러자 근석이 말없이 팔을 들어 어딘가를 가리켰다. 근석의 창우에 대한 행동은 꽤 건방져 보였다. 그도 그럴 것이, 근석은 도진이 그랬던 것과는 다르게 이곳의 절대 권력자이다. 인조인간들은 그저 근석의 하인이나 일꾼쯤의 역할을 하고 있고, 도진의 배신자 동료 루크의 지식을 물려받기까지 하였으니, 아마 두려울 것이 없을 것이다.

창우는 근석이 가리키는 방향으로 몸을 옮겼다. 비행선의 내부 구조는 복잡하여 그 방향에만 출입문이 5개가 넘게 있고, 통로와 계단 역시도 여러 개가 있다. 이 안에서 구체적인 안내 없이 무언가를 찾는 것은, 처음 간 여행지에서 어느 도움도 없이 간판 없는 수선집을 찾는 것쯤에 비유할 수 있다.

오랫동안 여기저기를 헤매던 창우는 이 내부 한쪽 구석의 어느 장소에서 무언가를 하고 있던 예은을 만났다.

"예은아…."

창우의 목소리를 들은 예은이 놀란 듯 고개를 빠르게 돌려 창우를 보았고, 그 즉시 그에게 달려가 안겼다. 그렇게 둘은 드디어 다시 만나게 되었다.

예은의 모습은 꽤 초췌해 보인다. 창우도 그렇지만, 예은은 많이 지친 느낌을 주고 있는 것이다.

"잘 지내고 있었어?"

예은은 바로 답을 하지 않고 뜸을 들이더니, 그저 고개만 가볍게 끄덕였다. 상대에게 걱정을 끼치지 않기 위해, 그렇지 않다는 답을 억지스럽게 긍정의 표현으로 바꾼 것 같았다.

"이곳에서 뭘 하고 있었던 거야?"

"아…. 그 사람이 나한테 맡긴 일이 있어서."

"그 사람?"

예은은 근석을 그 사람이라고 칭했다. 지구에서 그랬던 것처럼 이름을 언급하지 않고 '그 사람'이라고 한 것에 창우는 의문을 품었다.

"그렇다면, 여기에서는 계속 뭔가 일을 했던 거야?"

"응. 할 일이 많았거든. 지금도 그렇고."

"조근석의 가족들은?"

"그 사람의 가족들은…. 아무것도 안 해."

이전까지는 이곳에서 근석에게 타인이란 예은밖에 없었다. 굳이 한 명을 더 꼽자면 엘라도 있겠지만, 엘라가 근석의 말을 고분고분하게 따를 리는 만무하니, 예은이 아마도 시종이나 일꾼 역할을 했을 것이다. 그러다가 인조인간들이 만들어지면서부터는 조금은 벗어났겠지만, 예은은 계속해서 근석의 아랫사람 입장으로 이곳에 머물고 있었다.

그런 장면을 상상한 창우는 화가 났지만 애써 참았고, 둘은 서로 마주 보며 쌓여있던 회포를 풀었다. 그러자 예은의 표정도 조금씩 밝아지기 시작했다.

그러던 중 근석이 그 모습을 훔쳐보듯 힐끗거리며 옆을 지나갔고, 예은이 그런 근석과 눈이 마주쳤다. 그런데, 그녀가 근석을 보더니 갑자기 표정이 변하며 부자연스럽게 시선을 옮겼다. 창우는 그런 그녀의 행동을 예민하게 받아들였다.

창우는, 근석과 그녀 사이에 무언가 불미스러운 일이 있었으리라 짐작을 했다. 그래서 무언가 그녀에게 물어보려 했지만 그러지 않았다. 일단 지금은 근석에게 적대감을 가져서 좋을 것은 없었기에 이 물음은 잠시 미뤄두기로 한 것이다.

창우는 예은으로부터 지구에서 탈출할 때와 이곳에 처음 도착해서 있었던 일을 모두 들었다. 그렇게 둘이 대화를 나누며 서로가 안전함을 확인한 후, 그녀는 자신의 가족들이 이곳에 있다는 사실을 듣자마자 곧장 자신들의 가족을 찾아 자리를 떠났다.

그리고 창우는 예은이 이곳에 도착해서 겪었던 경험담과 그녀가 가지고 있던 몇 가지 정보를 정리하여 도진에게도 전달했다.

"역시 그랬군. 짐작은 했지만, 루크의 아이디어였군. 어쩐지…."

"그런데, 루크라는 사람이 그렇게 대단한 과학자였어? 루크라는 사람의 지식을 이어받은 근석이 이렇게까지 너를 곤란하게 만든 걸 보면, 그 사람은 뭔가 너만큼 대단한 수준이었던 것 같은데."

"나의 동료들은 모두 지능과 이공학 지식만큼은 우수하지. 그럴 수밖에 없는 게, 세상에 없던 과학적 이론과 기술을 받아들이고 이해할 수 있는 사람들만 모였으니까. 그놈만 대단할 것은 없다는 말이지.

나도 그렇지만, 루크도 처음부터 고도화된 과학적 지식과 우주의 근본 원리를 알고 있던 것은 아니었어. 누군가가 제공해준 내용을 통해 학습하고 익혀서 응용해나간 것뿐이지. 이딴 식으로 몰래 나쁜 짓을 하며 티를 내니까 그렇게 보이는 것뿐. "

"그렇군. 그나저나…. 그럼 이제 어떻게 하지?"

"이곳의 주인은 근석이야. 모든 통제권을 그가 쥐고 있으니 우리끼리 뭔가 조금이라도 수상한 모습을 보이면 불리해져. 그도 분명히 순진하게 우리를 믿고 있지만은 않을 거야. 뭔가 감시할 수 있는 장치를 분명히 해두었겠지.

우리는 근석이 가지고 있는 자원을 최대한 활용해야 하니까, 다른 생각은 안 하는 척 그에게 협조하는 모습을 보여야 해. 그래서, 일단은 마을의 로봇들을 진정시키는 방법을 찾아봐야겠어. 날뛰고 있는 로봇들부터 잠재워야 다음 일을 진행할 수 있으니까."

"알겠어. 그렇다면 마을의 로봇들은 어떻게 해야 멈출 수 있지?"

"적이 있다는 것을 알게 된 로봇들은 지금 이 순간에도 자신들의 영역을 넓혀가며 힘을 키우고 있을 거야. 그 힘이라는 게 당장은 우리를 향해있지는 않을 거지만, 어쨌든, 로봇들을 없애려면 단 한 번에 없앨 수 있는 대규모 폭격을 해야 할 것 같아."

"그렇다면 마을이 파괴되어 버리잖아. 네닉 시스템도 같이 말이야."

"그게 문제야. 곳곳에 있을 로봇들을 한 번에 없애려면 어떤 식으로든 폭격 범위가 넓어야 하는데, 그렇게 되면 지금 마을에 만들어진 시설물들도 함께 사라져버리겠지. 그 공격이 성공한다고 해도, 그 후에 처음부터 다시 시작해야 한다는 생각을 하니 아찔하군. 근석 저 자식이 메이커까지 건드려서 마을을 엉망으로 만들어 놨으니. 젠장."

도진은 마을의 기후를 바꾼 사람이, 루크의 지식을 물려받은 근석이라고 확신했다.

"근석이 그 문제를 정상으로 되돌리는 방법을 알고 있다고 해도, 그는 마을을 차지하고 실질적인 지배를 하게 될 때까지 결코 그 문제를 해결하지 않을 거야."

"그런데, 대규모 폭격할 수 있는 무기를 만든다는 것 자체도 말은 간단하지만, 실행은 쉽지 않을 듯한데."

"뭐든 말로는 쉬운 법이지. 어쨌든, 생각을 해봐야겠어."

그때 근석의 인조인간이 도진과 창우의 곁을 유유히 지나갔다. 도진은 그 인조인간을 빤히 바라보고는 혼잣말을 하듯 말을 이었다.

"루크가 다양한 분야에 호기심이 많았어. 그가 가지고 있던 생명체 복제에 대한 지식이, 실제로도 완벽하게 써먹을 수 있을 정도였는지는 몰랐군. 마을 주민들의 신체 정보를 추출하여 필요한 것만 뽑아내 조합한다면 꽤 멋진 괴물이 탄생하겠어."

"괴물이라…. 그래 보이긴 하네. 그런데, 전형적인 로봇 형태가 아니라 왜 인조인간을 만들었을까?"

"왕권 국가를 건설하고 싶었나 보지. 로봇들을 지배하는 것보다 실제 인간을 지배하는 게 그에게는 더 만족스럽지 않겠어? 일이 그의 계획대로 진행된다면, 나중에는 지금의 이 인조인간 같은 어설픈 작품은 폐기되고, 진짜 인간과 같은 신인류를 탄생시키겠지. 지금 이 인조인간들은 어떤 필요에 의해서 임시로 디자인해 제작한 것에 불과할 거야."

"이곳에서는 윤리나 도덕 같은 관념이 끼어들 틈이 없고, 근석 자신이 가장 위에 있으니 그런 계획에 양심이나 거리낌 따위는 전혀 없겠군."

"쓸데없는 얘기는 그만두고, 일단 마을의 로봇들부터 해치울 생각에 집중하자고."

"여긴 안전하잖아. 급할 것도 없는데, 천천히 하는 게 어때?"

"우리가 이러고 있는 동안에도 우리 로봇들은 무언가를 만들어내고 있어. 그들은 지치지 않거든. 그들이 만물의 이치를 깨닫고 더 위협적인 창조라는 것을 하기 전에 멈춰 세워야 해.

로봇들은 우리 인간의 존재를 알고 있을 것이고, 한 인간이 공격을 해왔다는 사실도 곧 알게 되겠지. 우리가 어딘가로 도망갔다는 사실도 말이야. 그렇다고 해서 당장 우리를 찾으러 다닌다거나 하지는 않겠지. 그들이 어떤 준비를 마치거나 명분이 생길 때까지는. 하지만 그들의 판단이 갑자기 바뀐다면…. 이런 상황에서 로봇들이 정확히 어떻게 행동할지 시뮬레이션을 해본 적이 없어."

"그렇다면, 네 말대로 최대한 빨리 그 방법을 찾는 것이 낫긴 하겠군."

"아무튼, 네 말대로 당장은 여긴 안전해. 그런데 만약 그들이 우리에게 공격을 받는다는 것을 인지하게 되는 순간, 로봇들의 첫 번째 목표는 이곳이 될 거야. 완벽한 공격 준비가 되기 전까지는 절대로 로봇들을 자극하거나 어설프게 건드려서는 안 돼. 그들이 이곳을 공격해야 한다고 판단을 한다면, 그 방법을 찾아 실행하는 것을 망설이지 않을 거야."

"그런데, 지금 마을에 있는 로봇들은 왜 인간 자체를 적이라고 생각하지 않는 거야? 지능이 있다며. 인간의 존재를 알고 있고, 자신들을 만든 것이 인간이라는 것을 알 테고, 자신들을 멈출 수 있는 존재도 인간이라는 것을 안다면, 공격받음의 여부를 떠나 충분히 적으로 인지할 수도 있을 것 같은데."

"로봇들에게는 두려움이라는 감정이 존재하지 않거든. 두려움이 없으면, 관념으로 만들어지는 적이라는 개념도 존재하지 않지. 그래서 감정을 가진 인간으로서는 학습형 인공지능 로봇의 행동을 예측할 수가 없어.

다만, 우리가 그들의 해치리라는 명확한 판단이 나오면 과감하게 인간들을 없애려 할 거야. 그때는 인간을 완전한 적으로 간주하겠지. 그들을 한 번의 공격으로 모두 쓸어버려야 하는 이유 중 하나야."

도진과 창우는 긴 대화를 나누었다. 드디어 도진이 창우를 동료로 여기게 되었다는 결과로 볼 수도 있다.

다시 탈출

그렇게 한 달 정도가 지나고 있을 무렵, 모두의 예상보다 평화로운 나날들이 이어지고 있다.

도진은 여러 가지 장치들을 사용해 마을을 수시로 살폈다. 로봇들은 공격 태세를 전혀 나타내지 않고 있고, 알 수 없는 그들만의 행동을 계속해서 하는 중이다. 그들은 나름의 어떤 규칙과 체제를 만들었는지, 움직임에 일정한 패턴이 느껴졌다.

그리고 근석은 도진에 대한 적개심을 겉으로 내보이지 않은 채 그저 도진에게 협조하고 있고, 그에 따라 도진은 로봇들에게 점령당한 땅을 되찾기 위해 동료들과 함께 고군분투 중이다.

창우는 도진의 일을 거들긴 했지만 그 중심적인 역할에서는 여전히 제외되었다. 그래서 본의 아니게 여유를 가지게 된 창우는 수시로 예은과 만나 애정을 발전시켜 나갔다. 그리고 그 둘에게는 좋은 소식이 생겼다.

“나 임신 한 것 같아.”

창우는 그 사실에 기쁨을 숨기지 않았고, 약식으로 둘만의 결혼식을 올렸다. 물론 서로의 가족들도 그 사실에 기뻐했다.

엘라가 몰래 메이커를 조작해 인류가 대를 잇지 못하도록 해두었으나, 그것은 오직 메이커에서 발산하는 그와 관련된 특정 에너지 신호의 영향력 아래에 놓여 있어야 효과가 있다. 그 기능이 어설프게 구현되어 있던 탓이다. 현재 예은의 몸은 마을에 있는 메이커에서 멀어져 있으므로, 그것이 유효하지 않아 임신이 된 것이다.

도진과 그의 동료들은 마을의 로봇들을 제거하거나 멈추게 하는 방법에 대한 아이디어를 계속해서 내고는 있으나, 안전하게 수행할 수단을 아직 찾지 못했다. 마을에 있는 시설물은 최대한 온전한 상태로 두는 방향으로 고심 중이다.

그렇게 도진의 세력은 마을의 피해를 최소화하면서 모든 로봇을 동시에 완전하게 멈춰 세우겠다는 목표를 두고 방안을 구상 중이지만, 근석의 그들을 보며 다른 생각을 했다. 시간이 지날수록 근석은, 도진이 다른 생각을 품고 있다고 오해를 하는 것이다. 도진이 마을을 포기하고 자신의 비행선을 접수하려는 것은 아닌가 하는 생각이다.

근석은 도진의 세력들이 자신의 허락 없이 무기를 만들지 못하도록 엄격하게 통제하고 있고, 그를 보호해주는 인조인간 경호원들이 있기에 쉽사리 도진의 세력이 그에게 힘을 가하지 못하지만, 도진이 그동안 이룬 업적과 재능을 따져봤을 때 마음만 먹으면 언제든 근석 자신을 제압할 수 있을 것이라 믿었다. 근석은 이 비행선 내부의 모든 것들을 자신의 손으로 통제하고 있긴 하지만, 상황의 전환이 자신의 예상보다 지연되고 있자 부정적인 착각을 하기 시작한 것이다.

로봇은 도진의 세력이 직접 설계하고 제작한 것이기 때문에, 그것들을 제압하려면 도진의 아이디어와 결정이 중요하다. 그리고 협정에 따라 일단 당장은 근석도 도진의 동료라고 볼 수 있기에, 근석은 수시로 회의에 참석하며 진행 정보를 입수하고는 있었다. 하지만, 그럼에도 근석은 도진이 자신에게서 이 비행선을 뺏을 방법을 찾는 중이라고 믿었다.

사실, 도진은 오로지 마을을 되찾을 생각뿐이다. 마을을 되찾음과 동시에 네닉 시스템을 다시 가동해 깨끗한 환경으로 다시 옮겨가려는 생각이 전부이다. 근석을 해쳐서 무언가 얻겠다는 생각은 도진에게는 큰 의미가 없다. 다만, 근석이 지속해서 방해하거나 귀찮게 군다면 그 생각이 변하겠지만, 지금으로서는 그럴 이유도, 여유도 없는 것이다.

초조해진 근석은 도진의 세력으로부터 입수한 로봇의 무력화 방안 중 하나를 스스로 실행하기로 마음먹었다. 물론 근석은 그 사실을 도진에게 알리지 않았다.

근석은 자신만이 출입 가능한 시설에 들어가, 도진이 구상한 방안 중 하나를 실천에 옮기기 시작했다. 그 방안이란 로봇을 움직일 수 있게 만드는 근원인 에너지 분사 안테나에, 그 작동을 방해하는 미세한 물질들을 뿌려 일시적으로 로봇들의 가용 에너지를 약화시킨 후, 무기를 사용해 개별적으로 타격하여 그 전체를 완전 무력화시키는 방법이다.

에너지 분사 안테나란 원격으로 로봇들에게 생명을 불어넣는 설비쯤으로 표현할 수 있는데, 그것은 메이커의 가장 윗부분에 있다. 안테나라고 표현해도 지구에서의 그 전파를 송출하고 수신받는 형태의 물체와는 개념이 다르다. 그것은 메이커의 한 부분으로, 그 역할 자체를 가리키는 개념이다. 즉, 이 역시도 메이커의 고유 기능이다. 그것은 로봇에게 에너지를 줄 뿐만 아니라, 그 외에도 필요에 따라 여러 가지 역할을 한다. 그리고 일반적인 방법으로는 그것을 완전히 파괴한다거나 정지시킬 수 없다.

근석은 이 방안의 원리와 목적을 완전히 오해했다. 루크에게 받은 지식이 있었을 테지만 그것을 꺼내어 쓰는 데는 한계가 있었는지, 아니면 부정적인 감정이 개입하여 그런 것인지 알 수는 없지만, 그것을 파괴하려는 계획을 세우게 된다. 심지어 철저한 전략이나 전술도 없이, 그저 이전처럼 공격용 무기를 공중을 통해 날려보내 타격하여 파괴하겠다는, 단순한 방법을 쓰겠다는 것이다.

만약 근석이 에너지 분사 안테나를 파괴하겠다고 공격체를 마을로 보낸다면, 아무리 정밀 타격을 한다고 한들 메이커의 해당 부분은 파괴되지 않을 것이고, 단지 로봇들을 자극하는 데에서 그칠 것이다. 그리고 자극을 받은 로봇의 다음 행동은 충분히 우려가 될만하다.

도진과 창우는 근석의 그 계획을 전혀 모르고 있다. 근석은 자신만 출입 가능한 시설에서 그것을 준비하고 있기에 눈치챌 수가 없는 것이다.

얼마 후, 결국 근석은 일을 저지르고 말았다. 그는 마을에서 더 멀어져 있던 비행선을 다시 마을 방향으로 전진시켰다. 그리고 발사체 30개를 준비해 나름의 특수한 폭탄을 장착하여, 발사를 위한 작업을 시작했다. 이때까지도 도진과 창우는 전혀 눈치채지 못했다.

근석은 마을의 로봇을 무력화시킨 후에 대한 계획도 세웠다. 그 계획이란, 일단 도진과 그의 동료들을 주민들과 분리하여 이 비행선 안에 완전히 가두는 것이다. 물론 그것은 아주 은밀히 진행되어야 한다. 그렇게 근석은 도진의 세력을 꼼짝 못 하도록 묶어놓고, 마을을 온전히 접수하기로 마음먹은 것이다. 제대로 된 왕국의 건설을 위한 최종적인 행동에 나섰다.

근석은 비행선 내부에 새로운 생산 시설의 가동을 시작하는데 그에 따른 결점을 찾아내 달라는 취지로 도진과 주축 세력들을 모두 한 장소로 유인해 모았다. 모두가 다 모일 수 있는 충분한 명분은 아니었지만 강행한 것이다. 그리고 주민들 역시도 파티를 연다는 핑계로 몇 개의 넓은 공간 안에 모두 몰아넣고는 눈치채지 못하게 가두어두었다.

그렇게 근석은 자신의 편을 제외한 모든 이들의 행동을 제한하는 조치를 하고는, 결국 마을을 목표로 한 공격체를 쏠 준비를 마쳤다.

그런데 그때, 무언가 이상함을 감지한 도진의 동료 하나가 말했다.

“새로운 시설이라더니, 이곳은 그냥 창고 아닙니까?”

그러고는 구석에 덩그러니 놓여 있는 기계 장치 몇 가지와 바닥에 굴러다니던 부품 덩어리 몇 개를 발로 툭툭 치며 말했다.

도진과 그의 동료는 물론이거니와, 직감이 발달한 진성까지도 한동안의 평화에 익숙해져 방심했다. 그 말을 들은 진성이 재빨리 출입구를 향해 달려갔지만, 출입구는 이미 단단하게 잠긴 상태이다.

이 비행선은 모두 단단한 재질로 만들어져 있어, 인간의 힘만으로는 어찌할 수 없다. 심지어 도구를 사용한다고 하더라도 웬만큼 파괴력이 있지 않으면 기껏해야 흠집 정도만 낼 수 있다.

그런데, 갑자기 출입문이 활짝 열렸다. 분명히 굳게 잠겨 있던 문이 열린 것이다. 그리고 문 앞에는 근석의 아내가 서 있다.

진성이 잔뜩 경계하는 몸짓으로 가장 먼저 문 쪽으로 몸을 움직였다. 그러자 근석의 아내가 말했다.

“남편은 주조종실에 있어요.”

이상한 일이다. 근석의 아내는 마치 자신의 남편이 어떤 일을 벌이고 있는지 안다는 것처럼, 되려 도진의 세력을 도우려 하고 있다. 도진과 창우는 혹시 어떤 함정이 아닐까 하는 생각에 잠시 망설였지만, 어떤 상황이든 깊게 생각하지 않고 행동으로 보이는 진성이 주조종실로 향해 뛰었다. 그러자 그 모습을 본 나머지 사람들도 일제히 출입문을 통해 밖으로 나갔다.

도진과 창우는 진성의 뒤를 따라 함께 달렸다. 그리고 당연히 도진의 세력들이 들어오지 않으리라 믿고 열어 둔 주조종실로 그들은 쉽게 진입을 했고, 근석과 마주했다.

근석이 주조종실의 조작기를 조작하고 있던 그때, 그를 마주한 도진이 물었다.

"당신 지금 뭘 하려는…."

도진의 눈앞에서, 투명하다 못해 없는 것이 아닐까 싶은 큰 창의 밖으로, 연기처럼 뭉실하게 뭉친 무언가가 비행선 외부의 한 부분에서 발사되어 어느 곳을 향해 직진하는 모습이 보였다.

도진은 순간 근석이 무엇을 하려는 것인지 알아채고 소리를 질렀다.

"안돼! 멈춰!"

하지만 그러는 동안, 첫 번째로 비행선을 떠난 것과 비슷한 형태의 무언가가 또 비행선을 떠나 선두를 따르기 시작했다. 순간순간 형태가 변하는 그것이 액체인지, 기체인지 또는 다른 형태의 물질인지 알 수는 없지만, 그게 무엇이든 목표를 향해 날아가는 공격체가 분명해 보인다.

도진은 잔뜩 구겨진 표정을 하고서는 근석을 향해 다시 소리쳤다.

"어서 되돌려! 어서! 안 돼. 이런 식으로는 모두가 다 위험해져!"

그러자 근석이 무표정하게 도진을 바라보며 말했다.

"당신들은 나를 속이고 있지? 뭔가 하려는 척 질질 끌다가 이 비행선을 차지하려는 거잖아. 내 말이 맞지? 흐흐. 이제 내 방식대로 하겠어."

"무슨 소리야?! 이런 미친…."

진성이 근석에게 다가가려 하자, 근석은 두 손에 어떤 물체를 꺼내 들어 쥐었다. 그것은 총과 비슷하게 생겼지만 권총의 절반 정도 크기이며, 총은 아니다. 하지만 그 역시도 공격용 무기이다.

그것을 본 도진과 진성, 창우는 그 자리에서 얼어붙었다. 이들에게는 원거리 무기는커녕 무기로 쓸 수 있는 재료들조차 자유롭게 주어지지 않았기에 현재 빈손이다.

"이봐, 어서 원래 있던 곳으로 가. 안 그러면…. 이 자리에서 당신들을 없앨 거야."

근석은 당장 골칫거리인 눈앞에 있는 적들을 사라지게 만들고 싶었지만, 어떤 목적을 위해 그러지 않았다. 그리고 아무런 무기도 없는 셋은 근석의 그 위협을 이겨낼 수가 없기에, 그의 경호원인 인조인간들에 이끌려 다시 그 장소에 감금되었다.

그리고 근석이 마을의 에너지 분사 안테나를 목표로 쏜 정체 모를 공격체는 아무런 저항 없이 목표를 향해 돌진하는 중이다.

도진의 세력은 한군데 모여 심각하게 대화를 나누기 시작했다.

"근석, 이 정신 나간 자가 로봇들이 있는 마을로 뭔가를 쐈어."

"이거 큰일이군요. 뭔지는 몰라도 로봇을 일괄 동시에 없애지 못하면 아무런 소용이 없을 텐데. 아니, 오히려 로봇들에게 우리가 적이라는 인식만 강하게 심어주겠지요."

"그들이 공격을 받으면, 분명 방어 알고리즘이 작동하기 시작할 겁니다. 그리고 프로그램된 대로 근원을 찾아 적극적으로 대응하려

하겠지요."

"일단 근석을 설득해서 이 비행선을 최대한 빨리 후퇴시키는 편이 낫지 않을까요."

"이미 마을에서 충분히 멀어졌잖아요."

"아닌 것 같아. 다시 마을로 전진하는 것 같은 느낌입니다."

이 우주 공간은 메이커가 있는 마을을 제외하고는 항성이나 행성, 별이 전혀 없는 검은색 도화지 같은 모습이기에, 단순히 외부만 봐서는 이 비행선의 움직임을 알아챌 만한 단서는 없다. 다만 가속과 방향전환 같은 변화를 일시적으로 약하게 느낄 수는 있기에 추정은 해볼 수 있다.

"그렇게 마을을 접수할 수 있다고 믿는 모양이군요."

"우린 탈출 준비를 해야 하지 않을까요?"

"이곳에서는 우리 마음대로 손에 쥘 수 있는 게 많지 않으니 뭘 해보려고 해도…."

"텔레포트를 다시 이용하는 건 어떨까요?"

"텔레포트로? 다시 마을로 되돌아가자는 겁니까? 우리가 가면 로봇들이 환영 파티라도 해주려나?"

그때, 그 말을 들은 창우의 머릿속에 누군가가 스쳤다.

"잠깐만요. 엘라. 엘라가 이곳에 있었어요?"

"못 본 것 같은데. 어디 갇혀 있는 것 아닐까요?"

그 누구도 엘라를 봤다는 사람이 없다. 그러자 창우는 빠른 몸놀림으로 어딘가로 뛰어갔는데, 곧 그의 앞에 근석의 아내가 나타났다. 근석의 아내도 이 장소에 함께 있는 것이다. 그녀의 의도는 알 수 없지만, 이상하게도 도진의 일행을 돕고 싶어 하는 눈치였다. 그래서 그녀는 자신이 도진의 세력을 감시하겠다는 핑계와, 그리고 이 비행선 내부를 자유롭게 다닐 수 있다는 권한으로 스스로 이곳에 들어와 있는 것이다.

"형수님. 물어볼 게 있는데요."

"네. 뭔가요?"

"저 혹시…. 붉은색 머리카락에 눈이 파란 여자가 여기에 있나요?"

"혹시, 엘라를 말하는 건가요?"

"네. 맞아요. 엘라."

"그녀는 이전에 남편과 자주 다투곤 했었는데, 남편이 그녀를 심하게 위협을 하는 바람에 갑자기 어딘가로 사라졌어요."

"지금은요?"

"그 후로는 한 번도 본 적이 없어요."

"이런…. 혹시…. 저, 이 안에 비밀 공간 같은 게 있나요?"

"있긴 해요. 그런데 그런 방은 전부 남편이 직접 열어야 열리는 곳들이라서, 남편을 대동하지 않고서는 아무도 들어갈 수 없는 곳들이에요."

"그렇군요. 일단 여기저기를 살펴보고 싶은데…."

창우는 그녀에게 도움이 필요하다는 느낌으로 말했다.

"엘라를 찾는 건가요?"

"네. 그렇습니다."

"그렇다면 저와 함께 가죠. 혼자 다니면 남편이 만든 일꾼들이 경계하거나 감시를 할 거예요. 지금 상황이라면, 어쩌면 그들에게 다칠 수도 있어요. 일꾼들은 저에게 해코지하지 않으니 함께 다니면 괜찮을 거예요."

"그럼, 부탁드리겠습니다."

근석의 아내는 창우에게 호의를 베풀었다. 현재로서는 남편의 적일 수도 있는 사람에게, 이상하게도 그러는 것이다. 이전에 지구에서 그들을 구해준 것에 대한 보답인지, 아니면 다른 이유가 있어서인지, 또는 원래 성격이 배려심이 깊은 편이라 그런 것인지는 알 수 없다.

그렇게 창우가 그녀의 안내를 받아 비행선 내 공간을 샅샅이 뒤졌으나 엘라는 보이지 않았다. 근석의 아내도 최근 그녀를 보지 못했다. 그래서 내린 결론은, 엘라는 이곳에 없다는 것이다.

창우는 도진에게 이 사실을 말했다.

"그렇다면, 텔레포트를 통해 이곳으로 온 게 아니군."

"텔레포트가 다른 곳으로도 뚫려 있다는 거야?"

"물론이지. 텔레포트는 어느 곳에든 생성시킬 수가 있어. 다만, 여기 이 우주에서 새롭게 만들려면 매우 까다롭고 번거로운 작업이 필요하지만, 지구에서라면 아주 간단하지. 그저 몇 가지 관련 코드만 넣어두면 되거든. 어쩌면, 텔레포트는 꽤 복잡한 루트를 가지도록 만들어졌을지도 몰라. 지구에서는 매우 쉬운 일이었으니까."

"그렇다면 우리가 이곳을 탈출할 수 있는 유일한 방법 하나가 찾아졌네.”

“그렇군.”

하지만 도진은 기뻐하기보다는 근심이 묻은 표정을 살짝 지었다. 아마도 이곳에서의 탈출보다는, 마을이 로봇들에게 완전히 장악되어 다시는 그곳으로 갈 수 없을지 걱정이 될 것이다. 그곳에는 네닉 시스템과 필요한 자원, 그리고 시설이 있다. 그러므로 평온해진 마을로 되돌아가지 않는 이상, 그리고 네닉 시스템을 다시 가동할 수 없다면, 이곳에서 탈출하는 것 자체는 적들로부터 몸을 피할 수는 있을지언정 큰 의미가 없다.

도진은 일단 상황을 지켜보기로 했다. 근석이 단행한 그 공격의 결과가 어떻게 될지 모르기 때문이다. 만약 공격이 완벽하게 실패하고도 로봇으로부터의 반응이 없다면 이곳에서 다시 무언가를 도모할 수 있고, 로봇을 자극해 그들로부터 반격이 시작된다면 그때 기회를 봐서 탈출을 시도해도 무리가 없다고 판단했다.

근석이 어떤 공격 물질을 마을로 보낸 지 2일이 지났다. 비행선에서 마을을 향해 내보낸 공격체가 도착하고도 남을 시간이 지난 것이다. 어느 한 장소에 갇혀 있는 도진의 세력은 그 공격의 결과를 알 수가 없다.

하지만 근석은 알 수 있다. 그는 정찰 시스템을 통해 마을의 상황을 어느 정도 파악했을 것이었다. 하지만 근석은 이전과 다른 모습이라거나 행동을 보이지 않고 있다.

그러길 2일이 더 지났다. 도대체 근석이 마을의 어디를 어떻게 공격했는지 알 수 없던 도진은, 현재 마을의 상황을 예상할 수가 없다. 성공했으면 근석이 곧장 자신의 다음 계획을 실행하려 했을 테고, 실패했다면 다시 무언가를 준비하거나 로봇들로부터 반격의 기미가 보여야 할 텐데, 아무런 특이점도 없는 상태인 것이다. 그래서 일단 도진은 근석의 공격이 실패했고, 로봇들의 어떤 반응도 이끌지 못한 것이라고 판단을 하고는 다시 모의에 들어갔다.

그런데 시간이 얼마 정도가 더 지나자, 비행선 내부에서 마치 모기가 공중을 날아다니는 것처럼 '웽웽'거리는 소리가 맴돌기 시작했고, 그 소리는 점점 커지더니 이번에는 '지잉'하는 소리로 고정되었다. 비행선 자체에는 어떤 문제점도 없기에 정체불명의 소리라고 할 수 있다.

도진은 벽면에 나 있는, 돌출되어 있어서 비행선 외부의 상태를 확인할 수 있는 구조의 창들을 통해 빛을 비추어 밖을 살폈다. 그러고는 표정이 굳은 채 동료들을 급히 불러 모았다.

"로봇들이 반격을 준비하고 있는 것 같습니다. 지금 이 비행선에 로봇들이 보낸 것으로 보이는 물체들이 여럿 붙어 있어요."

몇몇 동료들이 몇 개 안 되는 창들에 찰싹 달라붙어 외부를 살폈고, 비행선 외부 곳곳에는 이 비행선의 일부라고 보기에는 아주 어색한 작은 공과 같은 것들이 기체에 붙어 있는 것이 보였다.

그리고 도진의 동료들은 서로 의견을 나누기 시작했다.

"그렇다면, 이곳을 어서 빠져나가야겠군요."

"마을의 로봇들은 이 비행선의 특징 파악이 끝나는 대로 본격적인 반격을 시작할 겁니다."

"그 시간이 얼마나 걸릴까요?"

"알 수가 없어요. 로봇들의 현재 지적 수준과 행동력이 어느 정도인지 가늠이 안 됩니다. 최대한 빨리 이곳을 벗어나야 할 겁니다."

"그렇다면 텔레포트로?"

"그 방법 외에는 없으니까요."

"그것보다, 이 내부에 근석과 인조인간들 외에는 우리를 적대적으로 대하는 것들이 없어요. 근석을 잡아 가두고, 이 비행선의 조종대를 잡아서 마을 반대 방향으로 최대한 빨리 도망가는 편이 낫다고 봅니다."

"근석이 가지고 있는 무기와 그의 경호원들이 그렇게 하도록 놔둘까요? 우린 맨손입니다. 근석은 우리의 난동을 대비해 이미 온갖 방안들을 다 갖춰 놓았을 겁니다. 그는 어리석긴 해도 바보는 아닙니다. 루크의 지식을 물려받았고, 소심한 성격인 만큼 만반의 준비를 해두고 우리를 이곳으로 불렀을 게 뻔하죠."

"텔레포트로 간다고 해도, 그에게 들키면 헛일이잖아요. 로봇에게 공격당하기도 전에 그에게 먼저 당할 텐데. 게다가 텔레포트로 갈 수 있는 곳이 기껏해야 마을인데, 적진으로 몸소 들어가자고요? 그것도 말이 안 되는 방법인 듯한데요."

"이것 참 이러지도 저러지도 못하는군."

여러 동료의 대화를 도진이 가만히 듣고 있다가 말했다.

"텔레포트로 갈 수 있는 목적지가 여러 개입니다. 분명 안전한 곳으로 뚫려 있는 루트가 있을 거예요. 그걸 찾아가면 되죠. 하지만, 그 전에 근석부터 제압하긴 해야 할 것 같은데."

창우가 그 말을 받았다.

"형수님, 그러니까, 근석의 아내가 우릴 도와줄 수도 있을 것 같아."

"그놈의 아내가? 그럴 리가 없잖아."

"아니, 사실이야. 그녀가 우리를 도와줄 거야."

창우는 도진의 허락을 기다렸고, 이내 도진이 고개를 끄덕였다. 그러자 창우는 자신의 직감에만 의지한 채 근석의 아내를 은밀히 만났다. 그리고 자신들의 계획을 전했다.

"좋아요. 돕겠습니다."

창우의 예상이 완전하게 맞았다. 하지만 거기에 그치지 않고 창우가 물었다.

"그 행동이 남편의 일에 반하는 것이 될 텐데, 정말로 그렇게 하실 수 있는 이유를 말해 줄 수 있나요?"

그러자 그녀는 시선을 아래로 살짝 내리며 고개만 몇 번 저으며 말했다.

"아실 필요는 없습니다. 그편이 모두의 평화를 위해 좋을 것 같아 그런다고만 생각해주세요."

진짜 이유는 아닌 것 같았다. 하지만 굳이 밝히려 하지 않는데 계속해서 추궁할 수는 없었고, 중요한 질문도 아니었다.

도진은 창우로부터 그 소식을 전해 듣고 본격적인 지휘를 시작했다. 근석의 아내도 도진의 세력에 협조 중이다. 그리고 근석은 주조종실에 아무도 들어오지 못하게 해놓고 마을의 상황을 살피느라, 이곳에서 일어나는 일들을 전혀 눈치채지 못하고 있다. 온갖 내부 보안 장치를 단단히 갖춰 놓은 데다가, 살상용 무기는 근석 자신만이 가지고 있던 탓에 꽤 방심하고 있는 것이다.

"일단 인조인간들을 완전하게 묶어두어야 합니다. 저들이 있으면 다수가 다치거나 계획에 차질이 생길 겁니다."

그러자 근석의 아내가 말했다.

"그건 제가 할 수 있습니다."

한 도진의 동료가 그녀의 몸을 훑는 시늉을 하더니 말했다.

"그런 여린 몸으로 어떻게 하시려고요?"

그녀는 대답 없이 이 공간을 벗어나 어딘가로 향했다. 그리고 곳곳에 분포되어 있던, 50대쯤 되는 인조인간들을 찾아다니며 그들의 몸에 어떤 펜 같은 모양의 장치를 가져다 대자, 인조인간들은 그 자리에 즉시 쓰러졌다.

약 20여 분쯤 뒤 그녀가 다시 도진이 있는 곳으로 돌아왔다.

"모두 처리했습니다. 일꾼들은 모두 기절한 상태입니다. 2시간쯤 후에 깨어날 테니 그 전에 남편 몰래 계획한 일을 하세요. 저는 남편이 눈치 못 채게 붙잡아 둘게요. 이전에 오셨던 그곳을 여는 열쇠입니다."

그녀는 반지 모양을 한 어떤 물건 하나를 창우에게 건넸고, 그것은 텔레포트가 있는 장소로 갈 수 있는 통로를 여는 일종의 열쇠이다. 그리고 도진이 그녀의 말을 듣고는 고개를 갸우뚱하자 창우가 나서서 도진을 재촉했다.

"어서 시작하자고."

아마 도진은 어째서 근석의 아내가 이 정도로 꼼꼼하게 자신들을 도우는지 잠시 의심을 했을 것이다.

도진과 진성이 먼저 텔레포트가 있는 위치로 갔다. 가는 길에는 근석의 일꾼, 즉 인조인간들이 바닥에 쓰러져 있는 모습이 보였으며, 그 어떤 막힘도 없이 곧장 텔레포트에 도착했다.

텔레포트가 제 기능을 하지 못하게 막고 있던, 자성 물질이 도포된 판을 치우고 그 안으로 들어간 도진은 분기점에 있는 텔레포트 각각의 바닥에 쓰인 알파벳 조합을 자세히 들여다보았다.

'아무리 봐도 루트를 찾는 규칙은 하나밖에 보이지 않는단 말이야. 그 규칙을 따라가봤자 원래의 마을로 되돌아갈 것이 뻔한데…. 엘라가 거기에 있을 리는 없어. 엘라는 도대체, 어떻게 다른 루트를 찾아갔을까?'

그렇게 도진이 약 10여 분 동안 몸을 움직이며 바닥의 알파벳 조합을 보고 있는 동안, 밖에서 망을 보고 있던 진성이 무언가 걱정이 되었는지 도진이 머무르고 있는 분기점으로 들어왔다. 그러고는 도진의 모습과 그의 시선에 있는 문자를 보았다. 도진은 깊은 생각에 빠진 탓에 진성이 들어온 줄도 몰랐다.

시간은 흘러 이곳에 온 지 15분이 지났다. 최대한 빨리 모든 동료와 주민들이 탈출해야 했기에 진성은 자신의 형을 각성시켰다.

"형, 괜찮아? 이러다가는 빠져나갈 여유가 없겠는데."

도진은 그저 가만히 그 말에 응해주었다.

"뭔가 다른 규칙이 있을 텐데…. 길을 찾아야 하는데…. 이게 이렇게 오래 걸릴 일이 아닌데…. 이 암호를 풀 공식이 뭘까…."

그러자 진성 역시도 바닥의 알파벳들을 가만히 보더니 말했다.

"이거 아냐?"

그러고는 바닥에 있던 알파벳 하나를 가리키며 말했다.

"여기에는 'O' 안에 점이 없는데, 저기는 'O' 안에 작은 점이 있잖아."

그리고 그 옆에 있는 글자를 보며 말했다.

"여기는 소문자 't' 가 일자로 뻗어있지만, 저기는 끝이 휘어져 있잖아. 그걸로 길을 찾아가는 거 아니었어? 규칙이나 암호라고 하기에는 너무 단순한데."

진성이 말이 맞았다. 도진은 너무 어렵게 생각을 했다. 매사를 복잡하게 생각하기만 한 습관이 이 순간만큼은 결점이 된 것이다. 사실 텔레포트 바닥에 쓰인 알파벳은 그 조합상의 규칙이 있는 것이 아니다. 마을에서 이곳으로 올 수 있었던 것도 완벽한 우연이었다.

진성의 말을 들은 도진은 어안이 벙벙하여 잠시 말을 잇지 못했다.

"아…. 그, 그렇군. 의외로 단순했어."

무언가 머쓱한 기분이 든 도진은 벌떡 일어나, 진성이 말릴 틈도 없이 바로 앞에 있던 텔레포트 안으로 들어갔다. 그의 손에는 오로지 고성능 손전등 하나가 들려있다. 그리고 진성은 다시 그 분기점을 빠져나와 망을 보기 시작했다.

그로부터 약 5분 후, 비행선 전체가 큰 소리의 울림과 함께 심하게 흔들렸다.

쿵, 쾅, 두둥.

"으엇!"

진성은 균형을 잃고 쓰러졌고, 사태 파악을 하기 위해 몸을 비틀거리며 그 근처를 살피기 시작했다. 마치 지진이라도 난 것처럼 비행선의 각종 물건이 바닥으로 떨어지거나 넘어져 파손되고 있고, 흔들림은 강약을 반복하며 지속 중이다.

도진이 들어간 텔레포트 종단과 비행선 내부 상황을 번갈아 가며 지켜보던 진성은, 무언가 결심을 한 듯 동료들이 있는 곳으로 휘청거리며 힘껏 뛰어갔다.

"모두 텔레포트로! 어서요!"

주민들은 비행선 내부의 통로와 광장 몇 개를 거치며, 모두가 텔레포트가 있는 곳으로 이동하기 시작했다. 그때 창우의 머릿속에 근석의 아내가 떠올랐다. 조건 없이 자신들을 도와준 그녀. 지금 근석의 아내는 이곳에 없기에, 창우는 이 어려운 상황에서도 그녀를 찾아 나섰다.

"형수님! 형수님!"

다행히 그녀는 인근에 있고, 이 상황으로부터 아이들을 보호하기 위해 무던히 애를 쓰는 중이다.

"형수님, 어서 피하셔야 합니다. 저를 따라오세요."

"남편은요?"

그녀의 질문에 창우는 망설였다. 지금 이 대피하는 광경을 근석이 알아서도, 보아서도 안 되기 때문이다. 그가 망설이는 모습을 보이자, 그녀는 그의 대답을 들었다는 듯 말을 이었다.

"저와 아이들이 함께 있으면 해코지를 하지는 못할 거예요. 남편도 함께 데리고 가죠. 저를 인질로 삼으세요."

그녀의 목소리에는 호소력이나 설득력이 묻어 있지 않았다. 마치 책을 읽는 듯한 느낌마저 들 정도였다. 그리고 그 말이 그녀의 표정과 일치하지 않는 느낌까지 들었다. 하지만 이 난리통에 그녀의 의중을 파악할 정신이나 시간 따위는 없다.

그녀의 말에 담긴 뜻과는 상관없이 그녀의 아이들을 보자 마음이 약해진 창우는, 근석도 함께 데리고 가기로 하고는 그들을 이끌고 주조종실로 향했다.

그 시각 근석은 자신의 비행선을 때리는 특정할 수 없는 무언가로부터 비행선을 방어하기 위해 정신없이 몸을 움직이는 중이다. 후퇴는 없다. 마을을 차지하겠다는 의지가 너무도 강하기에, 일단은 자신이 알고 있는 모든 수단으로 방어를 해보고 있는 것이다.

하지만 방어는 쉽지 않다. 실체가 보이지 않는 공격에, 그에 맞는 적절한 방어법을 쓸 수 있을 리가 만무하다. 그저 허둥지둥하며 버티는 것이 전부이다. 그런데 다행인 점은, 그렇게 지속하던 어떤 공격이 점점 소강상태가 되더니 갑자기 잠잠해졌다. 근석이 허둥대면서도 방어를 성공시켰다기보다는, 이 비행선은 꽤 튼튼하고 단단한 것이다.

그러자 정신이 든 근석이 몇 가지 장치를 통해 잠시 비행선의 외부를 살피더니, 이내 주조종실에서 빠져나왔다. 그리고 곧장 그의 시야에는 바닥 군데군데에 쓰러져있는 인조인간들의 모습이 들어왔다.

근석은 자신의 경호원이자 일꾼인 인조인간들이 바닥에 쓰러진 이유가 그의 아내로 인한 것임을 전혀 눈치채지 못하고, 그저 조금 전까지의 기체 요동으로 인함이라 생각했다. 그리고 그는 곧 그의 아내와 아이들을 이끌고 나타난 창우와 마주했다.

“아니, 박창우 네가 왜 여기에 있지?”

“일단 여기서 대피합시다. 어서 따라오세요.”

그러자 근석은 주머니에 있던 물건을 꺼내어 창우를 향해 겨누었다. 생소한 물체이긴 해도, 그의 태도를 보았을 때 원거리 공격용 무기가 분명하다.

“무슨 짓을 꾸미고 있는 거야? 나의 아내와 애들은 왜 함께 있는 것이지?”

“계속 여기서 이러고만 있을 겁니까?”

그 말에 근석은 비웃듯 미소를 지으며, 건들거리는 느낌으로 고개를 좌우로 까딱거리더니 말했다.

“뭐? 잘 봐. 아무 일도 없어. 너희들은 왜 내가 할 말을 먼저 해버리는 걸까? 하하하.”

만약 지금도 기체의 흔들림이 계속되고 있다면 근석의 방금 그 말이 달라졌겠지만, 갑자기 잠잠해진 탓에 의기양양해져 그에게는 대피라는 명분이 전혀 통하지 않을 상황이 되었다.

근석은 바닥에 쓰러져 있는 인조인간들을 잠시 훑어보더니 자신의 아내를 보며 말했다.

"애들 데리고 방으로 들어가 있어. 걱정하지 말라고. 안전하니까."

그러자 그의 아내가 물었다.

"정말 안전한 것 맞아요? 지금이라도 이곳에서 벗어나야,"

"잠자코 방에 들어가 있어. 이놈들과 한편이 되어 도망이라도 가자는 거야?!"

근석은 자신의 아내에게 호통을 쳤고, 그의 아내 역시도 뭔가 할 말이 있는지 그의 남편을 노려보았으나, 화를 억지로 누그러트리는 표정이 되더니 수그렸다. 그리고 그녀는 자신의 아이들을 보며 말했다.

"얘들아, 아무 문제 없다고 하니 방에 들어가 있도록 하자."

그러고는, 그녀는 근석에게서 등을 돌려 어딘가로 걷기 시작했다. 그리고 근석은 손에 쥐고 있는 무기를 까딱거리며 창우에게 말했다.

"어떻게 빠져나온 거야?"

창우는 그에 대한 대답을 회피하고 되려 질문을 던졌다.

"마을의 로봇들은? 어떤 상태입니까?"

근석도 그 사실이 무척 궁금한 상태이다. 창우의 질문에 그는 어깨를 으쓱거리는 모습을 보이더니 주조종실로 들어가 무언가를 조작하기 시작했다. 그리고 고배율 망원경처럼 확대된 영상이 벽면의 영상 출력기에 보이기 시작했는데, 무수히 많은 로봇이 마치 개미 떼처럼 움직이고 있는 장면이 보였다. 그에 근석은 마치 추위에 얼어붙기라도 한 것처럼 몸동작을 멈추었고, 창우 역시도 크게 다를 바 없었다.

창우는 지금 영상에서 보이는 장면이, 여기를 향한 로봇들의 또 다른 공격 준비과정이라고 판단하여 재빨리 주조종실을 빠져나가 달렸다. 근석은 그런 창우를 보았지만 그냥 두었다. 자신의 아내가 도진의 세력을 도왔다는 사실을 모르고 있는 그는, 어차피 상대가 이곳에서는 뛰어봤자 벼룩이라는 생각을 했다.

근석은 자신의 공격이 상대에게 전혀 통하지 않았다는 사실에 좌절하여, 그 강도와 목표 지점을 약간 수정 후 같은 공격법을 다시 사용하기 위한 준비를 시작했다, 지금 근석에게는 동료가 필요한 상황이지만, 현재 그에게는 그를 제대로 보조해줄 그 어떤 동료도 없다.

근석은 오로지 혼자 모든 적과 맞서야 한다. 어리석은 판단과 행동이, 긁어 부스럼을 만든 것이다.

창우는 힘껏 뛰어 텔레포트가 있는 장소로 갔다. 그런데, 사람들이 빠져나가는 장면이 연출되고 있어야 할 이곳에는 질서 없이 시장통처럼 북적거리는 중이다. 창우는 그 틈을 비집고 텔레포트 종단이 있는 위치까지 갔다. 거기에는 도진은 없고 진성만 있다.

"진성 씨, 형은 어디에 있습니까?"

"조금 전에 여기로 들어갔는데, 아직 나오질 않고 있네요."

창우는 조금 놀란 표정이 되어 혼잣말했다.

"이런, 길을 잃었나 보네…."

그러자 진성이 응했다.

"그렇지는 않을 겁니다."

창우는 무뚝뚝한 그의 말에서 신뢰감이 들었다. 이곳에서 유일하게 따르는 사람인 자신의 형이 위험에 처해있는데 이렇게 태연할 수는 없기 때문이다.

그렇게 시간이 조금 더 흘렀을 때, 도진이 텔레포트를 통해 불쑥 나타났다. 창우는 새삼스럽게 그가 반가워 곧장 말을 걸었다.

"도진, 걱정했잖아. 길은 제대로 찾은 거야?"

창우의 그 말을 도진은 태평하게 받았지만, 목소리에 조금의 떨림이 느껴졌다.

"조금 전에 무슨 일이 있었지?"

그 질문을 진성이 받았다.

"기체가 심하게 흔들렸어."

"그렇군. 난, 이 텔레포트 바로 뒤에서 잠시 나오지 못하고 갇혀 있었어. 나오려 해도 단단한 벽이 있는 것처럼 나올 수가 없었지."

언제나 한결같은 평정심을 유지할 것 같은 도진도 그 상황에 굉장히 놀랐는지 사색이 되어있었다.

"이 비행선이 한 곳에 고정되어 멈춰있지 않으면 이곳의 텔레포트는 일시적으로 막혀 버려. 알고는 있었지만, 잠시 잊었어. 설마 그런 상황이 지금 닥칠 줄은 생각도 못 했군."

"그렇다면 서둘러야겠어. 마을의 상황을 정찰 영상 출력기로 보았는데, 로봇들이 분주하고 움직이고 있었어."

"감정이라는 것이 없는 로봇들이 우리를 겁만 줄 목적으로 공격한 건 아닐 거야. 목표를 확실히 설정했으니 아마 다음 공격이 시작되겠지. 조근석은 우리가 이러고 있는 걸 아직 눈치채지 못했지?"

"아냐. 우리가 뭔가 일을 꾸민다는 것을 알고 있어. 구체적인 상황까지는 알지 못하지만. 지금 마을의 로봇들이 다시 공격 준비를 한다는 것을 알고 그것에 대비하기 바쁠 거야. 빠르게 움직인다면 방해받지 않고 빠져나갈 수 있을 것 같아. 그런데, 목적지는 찾았어?"

"그게…."

도진은 그답지 않게 말을 제대로 잇지 않고 잠시 뜸을 들이더니, 그 근처에 있던 동료들을 모두 불러모았다.

"이 텔레포트로 갈 수 있는 루트가 최소한 5개는 되는 것 같아요. 시간이 부족할 것 같아서 그중에 세 군데만 갔다 왔는데, 하나는 지면의 형태와 경관이 익숙한 것으로 봐서는 우리가 있던 마을에서 떨어진 어느 지점이고, 다른 하나는 거대한 공간인데, 희미했지만 사방이 막혀 있는 것 같았습니다. 지상이 아니라 지하일 가능성이 있습니다.

그리고 나머지 하나는…. 뭐랄까, 비행선이라고 해야 할까. 이동할 수 있는 형태인지는 확인을 해보지 못했지만, 여기와 비슷한 느낌이 들었던 것으로 봐서는 발진이 가능할 것 같다는 생각이 들었습니다."

도진은 그 말을 하며 미세하게 화가 나는 듯한 표정을 지어 보였다. 그러자 그의 동료가 물었다.

"선택을 해야 하는 거군. 캡틴, 당신은 생각은 어떻습니까?"

"처음 말한 그곳으로 가는 게 좋겠어요. 거기로 가야 마을을 되찾을 기회를 잡을 수 있을 것 같군요."

그의 의견을 들은 창우와 동료 중 아마도 다른 의견을 가진 이가 분명 있을 테지만, 그 누구도 말을 꺼내지 않았다. 아마 의견이 대립 되어 지연 요소가 되는 것을 원치 않았기 때문일 것이다. 어차피 그 중 어느 하나가 특별히 우월성을 가지고 있다는 근거가 없으므로, 굳이 그럴 필요가 없기도 했다.

"좋아. 그럼 어서 움직이자."

모두는 필요한 물자와 물품들을 최대한 챙겨 몸에 지닌 채 이곳을 빠져나가기 시작했다. 그러던 시각, 주조종실에 있는 근석은 적진에서 이곳을 향한 무언가가 사용되었다는 것을 포착했다. 그리고 무엇인지 모를 그것의 속도는 매우 빨라, 근석이 그것을 깨닫고 약 3분쯤 지났을 때 영향을 받았다.

이번에는 비행체가 흔들리는 것이 아닌, 내부의 온도가 조금씩 오르기 시작했다. 비행선이 어떤 물질에 의해 녹고 있는 것이다. 기체가 단단하게 만들어진 덕분에 그 속도는 무척 느리지만, 그대로 있다가는 낙숫물로 바위에 구멍이 뚫리는 것처럼 이 비행선도 조금씩 녹아 파손될 것이 뻔하다.

근석은 어떤 공격에 비행선이 영향을 받고 있다는 것을 알아채고는, 멈춰있던 기체를 다시 움직이기 위해 조작을 했다. 하지만, 비행선은 요지부동으로 그 자리에 멈춰있을 뿐이다. 로봇들은 이 기체를 녹이고 있을 뿐만 아니라, 움직이지 못하도록 무언가로 결박을 시키고 있다. 마을의 로봇들은 생각 이상으로 똑똑하게 행동하고 있다.

근석은 당황하여 이 비행선에 준비되어 있던 모든 공격체들을 마을로 쏘아 보냈다. 마을을 보전하기 위해 일부러 사용하지 않고 있던 무기들까지 동시에 일제히 발사한 것이다.

그것은 마을과 주변의 자원들을 완전히 없애기로 작정해야만 할 수 있는 공격법이다. 즉, 근석은 마을을 차지하기 위한 자신의 계획이 완전히 잘못되었으며, 조급했다는 사실을 그 순간 깨달은 것이다.

비행선에서는 온갖 장치의 동작음들이 울려 퍼지며, 그 권한자의 명령에 따라 발사된 각종 공격체들이 뿜어져 마을을 향해 돌진했다.

그런 후, 근석은 작은 호신용 무기들을 몸 곳곳에 지닌 채 어딘가로 달려가기 시작했다. 그의 첫 번째 목적지는 자신의 아내와 아이들이 있는 방이다. 그리고 그 방에 있던 자신의 가족들을 데리고 그 역시도 텔레포트가 있는 곳으로 향했다. 그가 가는 길 곳곳에는 자신이 만든 인조인간들이 아직도 바닥에 널브러져 깨어나지 않고 있다.

그렇게 도착한 목적지에 몰려있는 군중을 본 근석은 예상했다는 듯 그다지 놀란 표정을 보이지 않았다. 그저 바지 주머니에 있던 원거리 무기를 꺼내어 소리를 지르기 시작했다.

"모두 비켜! 어서!"

텔레포트를 통해 대피하려던 사람들은 그 소리의 근원으로 시선을 돌렸지만, 그 소리의 주인공이 바라는 대로 움직여주지는 않았다. 그러자 근석은 몸을 멈추고는, 자신의 가족들을 이끌고 뒤로 몇 걸음 걷더니 손에 쥐고 있던 한 무기를 사람들을 향해 발사했다.

벙. 벙.

그가 무기의 스위치를 누를 때마다 큰 북을 치듯 낮은 주파수의 소리가 났는데, 그가 조준한 방향의 사람들이 곧장 바닥에 쓰러졌다. 그 두 번의 손가락 움직임으로 11명의 사람이 동시에 정신을 잃고 바닥으로 쓰러진 것이다.

그것을 목격한 주변의 사람들은 소리를 지르며 그에게서 멀리 떨어지기 위해 양옆으로 달아나기 시작했고, 이내 이곳은 더 난리통이 되었다. 하지만 그 상황에서도 근석의 정면에는 막혀 있던 도로가 뻥 뚫린 듯, 그와 텔레포트 사이에 장애물이 일순간 제거되어 그저 평온한 거리처럼 되었다.

사람들이 지르는 소리로 무언가 상황이 잘못되었다는 것을 알게 된 진성이, 이 상황의 근원을 찾아 빠르게 몸을 움직였다. 그리고 근석과 마주쳤다. 근석은 진성을 보자마자 다시 손에 쥐고 있던 무기를 들어 올려 진성을 향하게 한 후 스위치를 눌렀다.

벙.

그러자 진성이 무언가를 해보기도 전에 바닥에 쓰러졌다. 그리고 진성의 근처에 있던 주민 한 명도 함께 쓰러졌다.

근석은 무기를 쥔 팔을 뻗어 정면으로 향한 채 위협하듯 좌우로 움직이며 텔레포트까지 갔다. 그리고 이번에는 창우를 비롯하여 주민들의 탈출을 도우던 연구 기술원 5명과 마주쳤다.

근석을 본 창우가 조금은 흥분한 말투로 말했다.

"이게 도대체 무슨 짓입니까?"

근석은 무기를 창우에게 향한 채 스위치를 눌렀다. 그 순간 옆에 있던 연구원 하나가 몸을 급히 날려 창우를 밀어냈고, 둘은 모두 바닥에 쓰러졌다. 다행히 정면으로 맞지는 않아 살상권에서는 피했지만, 영향권에는 들었던 탓에 마치 묵직한 무언가에 두들겨 맞은 것처럼 창우의 어깨와 팔에는 멍이 들었고, 창우를 구한 연구원은 허벅지와 발목을 다쳤다.

그렇게 치명타를 겨우 피한 둘이 신음하며 쓰러져 있을 때, 근석은 다시 뻗은 팔을 창우에게 겨누었고, 이번에는 창우도 피할 수가 없는 상황이 되었다. 그런데 그때, 누군가가 날카로운 소리를 지르며 근석을 향해 돌진했다.

"야아아앗!"

창우의 아내인 예은이 어디서 구해왔는지 납작한 판 하나를 머리 위로 높게 치켜들고는 근석을 향해 달려갔다. 하지만, 그녀보다 근석의 팔이 조금 더 빨랐다. 근석은 자신의 코앞까지 다가온 그녀의 얼굴을, 쥐고 있던 무기를 휘둘러 세게 쳤다. 그러자 그녀 역시도 정신을 잃고 바닥에 쓰러졌다.

그때 근석은 수많은 사람의 눈이 자신에게 향하고 있다는 것을 보았다. 물론 이곳에서 유일하게 원거리 무기를 손에 쥐고 있는 근석에게 사람들이 다가가지는 못하고 뒷걸음질을 치거나 몸을 숙인 채 지켜보고 있는 것이 전부이지만, 만약 용감하고 건장한 남성 한둘이 먼저 용기를 낸다면 모두가 한꺼번에 달려들 가능성을 배제할 수 없다.

어리석은 면이 있긴 하지만 영악한 근석이 그것을 예상하지 못할 리는 없기에, 그는 다시 텔레포트로 몸을 돌려 가족들을 재촉하여 몸을 움직였다. 그런데, 그러다 말고 갑자기 몸을 틀어 왔던 방향으로 다시 뛰어가더니, 바닥에 쓰러져 있던 예은을 둘러업고는 원래 가던 방향으로 이동하기 시작했다.

이상한 일이다. 몸을 자유롭게 쓸 수 있어야 혹시 모를 상황에 대비할 수 있을 텐데, 그 와중에 자신의 가족도 아닌, 친분이 있지도 않은 예은을 자신의 몸에 매달고 움직이는 것이다.

근석은 예은을 둘러업은 채로 망설임 없이 자신이 먼저 텔레포트를 통과했고, 그다음으로 그의 아내가 아이 둘과 함께 그것을 통과해 들어갔다. 그 과정에서 그 누구의 방해도 받지 않았다.

그가 텔레포트로 사라지자 그제야 한참 떨어져 있던 주민들이 바닥에 쓰러져 있던 사람들에게로 달려와 상태를 살피기 시작했다.

주민 5명이 회생 불가이고, 7명은 의식이 있어 몸을 움직일 수는 있지만 내상을 입은 탓에 긴 회복 시간이 필요할 것 같다. 그리고 창우와 그를 도운 연구원 한 명은 일어서 걸을 수는 있지만 상처 부위의 치료가 필요한 상태이고, 진성은 의식은 없지만 호흡이 안정적으로 유지되어 있다.

진성은 본능적으로, 발달한 운동신경을 발휘해 근석이 무기의 스위치를 누른 순간 몸을 비틀어 치명타에서는 벗어난 것이다. 물론 그의 튼튼한 몸도 그에 한몫했다.

그렇게 난리가 났던 비행선 내부가 이내 잠잠해지자 주민들은 다시 대피를 시작했다.

그리고 잠시 후, 조금 전의 상황을 들은 도진이 급히 텔레포트를 통해 다시 이곳으로 왔다.

"어떻게 된 거야?"

주민들의 대피를 안내하던 한 연구원이 조금 전 있었던 상황을 자세하지만 빠르게 설명을 해주었다. 그러자 도진은 즉시 다른 피해자들과 함께 바닥에 누워있는 진성에게 달려가 그의 상태를 살폈다.

"이, 나쁜 자식…."

도진은 평정심을 잃었는지, 거친 말을 내뱉으며 표정을 약간 구겼다. 타인의 기준으로는 그저 약간의 짜증 섞인 말투일 뿐이라고 느낄 수도 있으나, 도진으로서는 최대한의 화를 표현한 것이다. 그리고 그의 이마에는 식은땀이 맺히기 시작했다.

일단은 로봇의 공격을 받는 중인 이곳에서 빠져나가는 것이 우선순위이기에, 대피하는 것조차 잊고 진성의 상태를 살피던 도진은 주변 동료들의 재촉을 받아 서둘러 빠져나갔고, 그의 동료와 주민들 역시도 회복 가능한 상태의 피해자들을 부축해 빠르게 이동했다.

그리고 시간이 조금 더 흘러, 비행선에서 근석이 쏟아부은 각종 공격체가 로봇들이 있는 마을에 도착했다. 다수의 공격체는 마을의 에너지장 방호막을 통과하지 못해 튕겨 나가거나 무기력하게 바닥으로 떨어졌지만, 다른 일부는 갑자기 쏟아지는 무수한 공격체를 방어하지 못한 방호막을 통과해 로봇들이 지배한 마을 곳곳을 타격했다.

그렇게 한 번의 대규모 공습이 끝난 후, 마을은 원래의 형태를 70% 정도 잃었고, 로봇들은 나름의 방식으로 스스로를 보호한 덕분에 전체 수의 약 30% 손실을 보았다.

로봇들은 감정이나 아픔을 느끼지 못하기에, 그저 프로그래밍 된 대로 곧장 다시 전력을 가다듬기 시작했다. 여러 생산 시설을 다시 짓고, 자신들의 설계도에 따라 그들의 동료를 무수히 생산해내기 시작했다. 아마 사흘 정도 뒤면 원래의 전력을 다시 회복해, 근석이 머무르던 비행선을 향한 공격을 시작할 것이다.

그나마 다행인 점은, 로봇들은 아직 텔레포트의 존재를 알지 못하고 있다. 그렇기에, 비행선 안에 있던 인간들이 그것을 통해 순식간에 다른 곳으로 이동했다는 사실도 알 수 없다.

- 3부에서 계속 -